Wat niemand ziet

Wat niemand ziet

MARTIJN NIEMEIJER

 Leopold / Amsterdam

Voor alle kinderen bij wie het thuis net zo is als bij Ros
Voor de mensen in de zorg die gedreven deze kinderen helpen
Voor Fred Spijkers, die zesentwintig jaar moest
wachten op eerherstel

Eerste druk 2016
© 2016 tekst: Martijn Niemeijer
Omslagontwerp en -illustratie: Caren Limpens
Uitgeverij Leopold, Amsterdam / www.leopold.nl
ISBN 978 90 258 6963 2 / NUR 283

1.

Pa en ma zijn dood. Sinds vanmiddag.

Dat zegt de psycholoog met zijn mooie gestreepte pak.

De politieagente naast hem knikt.

Ik kijk van zijn bijna kale hoofd naar haar dikke zwarte haar.

Ze zitten tegenover me aan de smalle tafel. Aan hun kant ligt een schrijfblok, aan mijn kant mijn pet en in het midden een doos met tissues. Ik neem er eentje uit en probeer een zwaan te vouwen.

Het papier is te slap.

Misschien dat een kikker wel lukt.

Over de tafel pakt de psycholoog ineens mijn handen beet. Hij houdt ze zo stevig vast dat ik ze niet kan lostrekken.

De politieagente schuift ongemakkelijk op haar stoel. Misschien houdt zij er ook niet van als iemand je zomaar aanraakt.

'Roswitha,' zegt de psycholoog. 'Je mag nu alles zeggen wat er in je opkomt. Foute woorden bestaan niet.'

Dat klinkt hartstikke raar. Foute woorden bestaan juist wel.

Even kijk ik op. Ik zie dat hij het zelf echt gelooft.

Dan draai ik mijn hoofd weer naar de kikker. Hij ligt daar maar op tafel, half afgemaakt.

'Wil je anders liever iets aan ons vragen?'

De handen van de psycholoog voelen klam en ruiken naar sigaren.

'Oké, dat is helemaal niet erg. Mag ik jou dan iets vragen, Roswitha?'

Ik wil liever niet dat hij me steeds Roswitha noemt.

'We begrijpen er namelijk niks van. Alleen dat ze dood zijn.'

Soms, als je heel hard denkt dat je hoofd helemaal leeg is, dan lukt het. Dan zijn er alleen maar wolkjes.

'Je vader hing in een stoel. Je moeder lag languit op de grond. Ernaast lagen twee lege flessen.'

En als het niet lukt, is het toch fijn om zelf aan wolkjes te denken.

De psycholoog kijkt me lang aan. Veel te lang. Dan laat hij eindelijk mijn handen los. Hij buigt zich over de tafel, pakt de laatste tissue uit de box, vouwt die tot een punt en dept ermee in een ooghoek. Alsof er een vliegje in is gevlogen.

Snel stop ik mijn handen onder de tafel.

De politieagente tikt zacht met haar pen op haar schrijfblok: 'Je wilde iets vragen...'

'Ja,' zegt de psycholoog en hij kijkt weer naar mij. 'Kun je ons misschien helpen?'

Ik weet best dat ik nu moet knikken, of iets moet zeggen. Maar het lukt niet. Alles is zwaar, zelfs als ik aan wolkjes denk.

'Misschien heb je iets gehoord of gezien? Iets waardoor we kunnen begrijpen hoe je vader en moeder dood zijn gegaan.'

De politieagente knikt.

'Roswitha, luister.' De psycholoog klinkt nu streng.

Ook de politieagente kijkt serieus.

Hun vier ogen houden me gevangen.

'Denk je dat ze elkaar hebben gedood?'

Heel even kruipen pa en ma toch mijn hoofd binnen.

Zouden ze elkaar echt dood kunnen maken?

De klok aan de muur tikt gewoon door, zelfs als we alleen maar op elkaar zitten te wachten. Al zeventien minuten. Een kaal hok met een ijzeren tafel en vier stoelen.

De politieagente tekent op haar schrijfblok. Ringen die in elkaar haken of zoiets. Ze ziet dat ik ernaar kijk. Met een glimlach haalt ze haar telefoon uit haar jasje en legt hem over de ringen.

Hoe zei ze ook alweer dat ze heette? Fairouz, geloof ik. Ze

heeft donkere ogen. Nu knikt ze weer naar me en wijst met haar hoofd naar de psycholoog.

Het is al zo lang stil dat ik ben vergeten wat hij me vroeg.

Hij kucht. 'Ik denk dat ik wel begrijp waarom je niet wilt praten.'

Fairouz kijkt opzij en schuift een zwarte lok onder haar haarband. Er zit een moedervlek bij haar oor in de vorm van een rups. Of misschien is het eerder het lijfje van een mier. Als ze glimlacht is het alsof de mier aan een kleine wandeling wil beginnen.

'Luister je?' vraagt de psycholoog.

Ik knik.

'Je wilt je ouders beschermen, zelfs nu ze dood zijn. Dat is heel normaal.'

Fairouz wordt rood en maakt een gebaar naar de psycholoog. Hij haalt zijn schouders op.

In de hoek van de kamer valt me ineens iets grappigs op. Er staan twee rollen papier in de prullenbak. Het zijn net ogen op steeltjes. Ik volg hun blik en speur het plafond af. Afgebladderde stukken kalk, vliegenpoep, een gele lekkagevlek. Dat is alles. Als je gewoon kijkt zie je niets, maar ik snap die ogen wel. Die kijken er dwars doorheen en zien een oude landkaart met weggetjes die door een bos lopen. Je krijgt vanzelf zin om er lang rond te dwalen.

De psycholoog staat zo plotseling op dat ik ervan schrik.

'Roswitha,' zegt hij, terwijl hij zich vooroverbuigt. 'Soms is zwijgen goed, heel goed zelfs. En soms helpt het juist om erover te praten. Begrijp je dat?'

Hij pakt zijn tas van de grond en voegt eraan toe: 'Maar het geeft niet. We praten later wel, wanneer jij dat wilt.'

Hij wijst op zijn telefoon. 'Ik zie dat ik nu nodig ben bij een ander meisje. Ik kom straks nog wel kijken.'

2.

Fairouz loopt naar de deur om hem dicht te doen. Ze is klein, zie ik nu. Haar blauwe politiebroek slobbert over haar schoenen.

Eerst kijkt ze me alleen maar aan. Ze zoekt naar woorden. Dat ken ik. Dat doe ik ook altijd als ik echt iets belangrijks wil zeggen.

'Je hoeft niet bang te zijn. We willen alleen weten wat er precies is gebeurd. Misschien heb je iets gezien...'

Geduldig wacht ik tot ze verdergaat, al heb ik natuurlijk niets gezien. Ik was de hele dag in de stad, net als alle andere dagen.

Fairouz gaat zachter praten. Ze heeft een rustige stem. 'Misschien vind je het moeilijk iemand te vertellen dat je mama en papa lelijk tegen elkaar deden. Ik begrijp het wel als dat zo was. Heel veel mensen doen lelijk tegen elkaar. En toch hou je van ze en zij van jou.'

Haar handen fladderen als twee grasparkieten langs haar jas en haar witte bloes.

Plotseling zegt ze: 'Wil je misschien wat eten of drinken?'

Ik schud automatisch mijn hoofd, al zou ik best wat lusten.

'Weet je het zeker?'

Het liefst wil ik hier weg. Maar ze zal vast nee zeggen als ik het vraag.

'Ik ga even iets halen. Voor de zekerheid,' zegt Fairouz. En dan doet ze de deur weer open. 'Blijf je hier wachten, Roswitha?'

'Ros,' zeg ik.

'O, Ros.' Ze herhaalt het alsof ze een nieuwe smaak proeft.

'Mooi!'

Even twijfelt ze nog. Dan loopt ze de gang op.

Ik kijk naar de rollen papier in de prullenbak. De twee ogen staren nog precies zo naar het plafond als net. Ze laten expres niet zien dat ze Fairouz wel aardig vinden.

Door de open deur zie ik een kopieerapparaat dat staat te zoemen. Een sterke lucht drijft de kamer binnen. Ik probeer er een woord voor te bedenken, maar geuren zijn moeilijk. Zeker vandaag.

Er komt een man aanlopen om te kijken of zijn kopieën al klaar zijn.

Ik schrik overeind. Verslik me, ook al heb ik niets in mijn mond.

Hij is het, dezelfde man als vanmiddag in de steeg! Zonder leren jack, maar in die spijkerbroek met scheuren en op zijn groene gympen. Het bloed zit er nog aan. Ik zie het duidelijk zitten. In plaats van rood is het nu een vreemd soort bruin geworden.

Hij kijkt op, haalt een hand door zijn haar en grijnst naar me. Daarna draait hij zich weer om naar zijn kopieën en loopt ermee weg.

Mijn bloed kolkt door mijn aderen, zo kwaad ben ik. Het lijkt wel lava.

Dat hij juist hier zomaar rondloopt! Alsof hij vandaag niet iets vreselijks heeft gedaan! Alsof er geen bloed op zijn schoenen zit!

Dat kan toch niet zomaar? Ze moeten hem oppakken en in de gevangenis zetten.

In mijn eentje kan ik niks tegen hem beginnen. Helemaal niks.

Iemand moet me helpen.

Op hetzelfde moment neem ik een besluit.

Fairouz komt terug met broodjes, een zak chips en twee flesjes cola. Ze ziet het meteen. 'Wat is er, Ros?'

Voor het eerst sinds ik hier ben, weet ik wat ik wil zeggen. 'Oké. Ik zal praten. Maar alleen als je eerst naar iets anders luistert.'

Zo!

Even kijkt Fairouz me onderzoekend aan. Dan glimlacht ze. 'Als het belangrijk voor je is, dan luister ik graag.'

3.

Fairouz zit nu op de stoel waar eerst de psycholoog zat. Ze heeft de broodjes, een stapeltje servetten, de chips en een van de twee flessen tussen ons in gelegd. Voor als ik toch trek krijg, of dorst. Zelf neemt ze een slok uit de andere fles. Ze doet de dop er weer op, legt haar handen naast haar schrijf-blok op tafel en kijkt me aan.

'Begin maar. Je mag er zo lang over doen als je wilt.'

De woede van daarnet voel ik nog wel: de lava stroomt nog van mijn borst tot in mijn tenen. En ik voel dat mijn lijf rood moet zijn. Maar met andere mensen praten is niets voor mij.

Er is zoveel gebeurd.

En hoe kun je iets vertellen wat zo ingewikkeld is?

Toch moet ik het doen, voor Floriaan.

Fairouz kijkt naar mij met al dat gedoe in mijn hoofd. Zou ze het aan me kunnen zien? Dat mijn zwijgen nu heel anders is dan net?

Ja. Ze neemt een besluit. Ik zie het aan haar. Ik ben een be-sluiten-expert.

Ze scheurt drie vellen papier uit haar blok en schrijft er iets op. 'Kijk. Dit helpt je misschien op weg.'

Ik lees wat er op het eerste vel staat. 'Het begon allemaal...'

Vragend kijk ik op.

Ze knikt naar de twee andere vellen. Op het tweede staat: 'Het grootste van alle problemen is...' En op het derde: 'Som-mige geheimen kun je maar beter niet hebben, want...'

'Kun je een van deze zinnen gebruiken om je verhaal mee te beginnen?' Fairouz glimlacht naar me en bijna wil ik alweer naar de mier bij haar oor kijken als ik me bedenk. Ik moet me concentreren.

'Niet te lang over nadenken, gewoon de zin kiezen die je leuk vindt.'

Voor de zekerheid lees ik ze alle drie nog eens over en besluit dan gewoon de eerste te nemen: 'Het begon allemaal…'

Maar waarmee begon het eigenlijk? Met de kastanjes, een paar weken geleden? Of eerder al, toen ik besloot zo min mogelijk thuis te zijn?

Nee, dat leg ik haar allemaal later wel uit. Anders kan ik net zo goed teruggaan tot mijn geboorte. En dan moet Fairouz dagenlang naar mij luisteren.

Nou ja, ze heeft zelf beloofd dat ik er zo lang over mag doen als ik wil…

Ik grinnik als ik daaraan denk. En Fairouz lacht met me mee, ook al kan ze niet weten waarom ik lach.

4.

Die herfstdag. De zon is er. Ze kietelt alles wat ze tegenkomt. Kwetterende vogels in de bomen, een hond die aan een paal ruikt. Op zo'n dag kun je zelfs muren met mislukte graffiti zien lachen.

Vandaag hoef ik niet lang te zoeken naar het woord. Het is er direct als ik na school het plein afloop: 'stralend'.

Het is de eerste dag op mijn nieuwe schoenen die ik van Jill heb gekregen. Ze vindt dat tantes voor hun nichtjes schoenen horen te kopen. Al vergeet ze het meestal en durf ik er niet om te vragen als mijn oude zijn versleten.

Deze zijn geweldig. Ze veren mee bij iedere stap die ik zet. Vanzelf kijk ik steeds hoe mooi ze aan mijn voeten zitten.

Ik steek de singel over en loop over het pad langs het water. Daar waar die enorme oude bomen staan, met bordjes erop dat ze geplant zijn in 1840 en zo. Op de heuvel is een sterrenwacht, maar ik ben er nooit binnen geweest.

Ineens zie ik ze liggen: kastanjes! Glanzend tussen de bladeren die al van de bomen zijn gevallen. Gisteren lag er nog niets en nu zijn ze overal.

Mijn nieuwe schoenen rennen er al haast vrolijk heen, als ik hardop 'nee' zeg tegen mezelf en me schrap zet midden op het pad. Ik ben de baas, niet mijn voeten. Eerst wil ik alleen kijken.

Ik haal diep adem.

Het lijkt wel een zacht tapijt van gras en bladeren. En op dat tapijt liggen al die fonkelende bruine bollen te lachen naar de zon.

Ik buk me en raap er een op die op het pad is gerold. Daar ligt hij, in de palm van mijn hand. Onder zijn glimmende huid liggen fijne aders. Ik denk aan een oeroude landkaart. Maar dat doe ik altijd, dus lach ik. Om mezelf, om de zon en om die stralende kastanje.

Voorzichtig aai ik hem met de vingers van mijn andere hand. Hij voelt koel en glad, maar niet als steen. Misschien is hij vanbinnen wel lekker warm. Ik ruik eraan. Nee, geen bijzondere geur.

Ik weet zeker dat er ergens op de wereld bruin goud bestaat en dat deze kastanje daarvan een broertje is.

Nu houd ik het niet meer uit. Van alle schatten die ik de laatste maanden op straat heb gevonden, zijn deze kastanjes de allermooiste.

Ik spring naar voren en prop er zoveel als ik kan in mijn zakken en mijn rugzak. Vijf, tien, dertig.

Op mijn hurken schuifel ik vooruit. Ik graai naar iedere bruingouden bol die ik zie.

Als ik de laatste kastanje in mijn rugzak heb gedaan, krijg ik een idee. Ik ga er mijn afvaltuintjes mee versieren!

5.

Als ik niet aan thuis wil denken doe ik net alsof ik de oude
opa en oma een rondleiding geef. Al honderd keer heb ik het
gespeeld, het verveelt nooit.

Vandaag zijn de opa en oma weer speciaal met de trein uit
hun dorp gekomen. Om mijn afvaltuintjes te bewonderen.

'We keken overal uit naar het meisje met de zwarte pet,'
zegt de opa. 'En daar ben je!'

Ik knik.

In haar handtas heeft de oma papieren zakken met boterhammen en pakjes drinken. Ook voor mij. Voor als we straks
pauze houden.

De opa loopt wat moeilijk. Toch let hij de hele tijd goed op
of hij zijn vrouw kan helpen bij stoepjes en steile paadjes.

Ik vertel dat ze hartstikke veel geluk hebben. Want vandaag
is een feestdag. We gaan alle tuintjes versieren met kastanjes.
Ik laat ze mijn rugzak zien en mijn volgepropte broekzakken.
Zelfs in iedere hand houd ik nog een kastanje. Ze voelen zo
lekker.

De opa wil er ook een vasthouden en roept dan dat hij hierdoor aan vroeger moet denken.

Ik wil dat ze deze dag nooit zullen vergeten. Daarom mogen
zij bepalen hoeveel kastanjes we in ieder tuintje leggen.

We beginnen meteen bij die boom. Kijk maar, mevrouw, hij is
hol. Ik heb hier iets grappigs gedaan met tennisballen die ik
heb gevonden. U weet wel, die mensen naar honden gooien.
Ik heb ze opengemaakt en er stukken krant in gedaan, met de
datum er duidelijk op. Daarna heb ik er allemaal schroeven en
spijkers in gestoken en in de holle boom gelegd.

Ik moest op mijn tenen staan om erbij te kunnen.

Iedere keer als ik er langsloop moet ik lachen. Dan denk ik aan de mensen die honderd jaar later mijn spijkerbollen vinden en er niets van snappen. Of denkt u dat deze boom niet nog eens honderd jaar oud kan worden?

De oma knikt van wel.

Uit mijn rugzak pakt de opa drie kastanjes. Hij legt ze voorzichtig in de holle boom.

Nu gaan we naar mijn allereerste afvaltuintje. Het is vlakbij. Ik vond hem toevallig en wist toen nog niet hoeveel geluk ik had. Want expres een goede plek zoeken is hartstikke moeilijk. Als je dat nog nooit hebt gedaan, snap je daar niks van. Dan denk je: de stad is zo groot, daar moeten genoeg mooie plekken te vinden zijn. Niet dus. Niet voor afvaltuintjes.

We lopen over de brug naar het stille pad achter het Museum met het Rotte Schip. Kijk, hier midden in de muur hebben ze een driehoek uitgezaagd en er een traliehek voor gezet. Dat is de perfecte plek. Een zacht bladerenbed van de vorige herfst, klaar om je schatten op te leggen.

Als je goed kijkt, zie je dat er hier een wedstrijd wordt gespeeld. De vijf groene bierflesjes aan de ene kant denken dat ze winnen omdat ze iets groter zijn dan de vijf rode blikjes aan de andere kant. Maar ik ben voor de blikjes. Altijd als ik er langskom, help ik stiekem mee. Dan laat ik een van de blikjes de kapotte knikker in het doel van de flesjes schieten.

De opa is ook voor de blikjes. De oma maakt het niet uit, ze houdt niet van voetbal. Ze grabbelt in mijn rugzak en legt er vijf kastanjes bij.

Vlakbij is de muur van een huis dat de Sterrenburg heet. Op deze plek wordt gevochten. Aan de voet van de muur staan twaalf lege batterijen. Ze hebben het moeilijk tegen de pennen die komen aanstormen en de muur willen beklimmen. Dat mag natuurlijk niet, want die muur is al vierhonderdvijftig jaar oud. Dat staat op het bordje.

We leggen er tien kastanjes bij. Misschien dat de batterijen en de pennen vrede sluiten als ze die bruingouden bollen zien.

Onderweg naar de Kleine Kerk kijkt de oma steeds in haar tas met boterhammen. De opa en ik zien het wel, maar we zeggen niets. Het is nog lang geen tijd om pauze te houden.

Aan de zijkant van de kerk staat een enorme pomp van steen met helemaal bovenop een smalle richel. Van oude sigarettendoosjes heb ik twintig duiven gevouwen. Boven op de pomp lopen ze eindeloos achter elkaar aan. Steeds maar rond, want de voorste bijt in de staart van de laatste.

Op iedere hoek van de pomp legt de opa een kastanje. Hij kan er net niet helemaal bij. Door goed te mikken vallen ze toch op hun plek.

6.

We rusten even uit in de Muziektuin. De opa en oma genieten op een bank van hun boterhammen. Ik heb toch maar nee gezegd, omdat de oma zoveel honger had. Ik weet hoe vervelend dat is. Dan eet je liever alles zelf op.

Uit het grote gebouw komt muziek van de studenten die daar spelen. Als ik hier zit, probeer ik altijd hun instrumenten te raden. Ik hoor een viool, een piano, nog een viool en een instrument waarvan ik de naam niet ken.

Terwijl de opa en oma nog zitten te eten, sta ik op en laat ze mijn enige echte stukje tuin zien. Rond een kleine rozenstruik heb ik bloemen in de grond gezet, gevouwen van het zilverpapier uit sigarettenpakjes. Eerst was ik bang dat ze zouden worden weggehaald. Maar de mensen die deze tuin verzorgen hebben er keurig omheen gewied.

'Bent u klaar om weer verder te gaan?'

De oma knikt. De opa stopt de laatste hap in zijn mond en legt een kring van kastanjes rond de papieren bloemen.

'Hé Ros!' hoor ik ineens een meisjesstem roepen.

De opa en de oma verstoppen zich razendsnel achter de zuilengalerij die rond de Muziektuin ligt. Ze houden niet van pottenkijkers.

Mijn hart bonkt. Wie roept me? Heeft ze gezien dat ik hardop praatte? Is mijn afvaltuintje ontdekt?

Dan draai ik me om.

Jakkes, het is Bloem!

Ze staat aan de overkant van de straat waar de winkels zijn. Zo in de verte, in de stralende zon, lijkt ze nog kleiner, ronder en blonder dan anders. Ze zwaait en steekt de straat over.

Geen tijd meer om de zilveren bloemen en de kastanjes te verstoppen. Het enige wat ik kan doen is ervoor gaan staan.

'Ik herkende je aan je rugzak,' roept Bloem.

Als vanzelf kijk ik naar mijn tas. Hij is rood en de gele strepen stralen feller dan de zon. Waardeloos, als je hebt besloten niet meer op te vallen. Ik moet hem zwart maken. Meteen vanavond.

'Mooie schoenen.'

Ik knik.

'Wat doe je hier?' vraagt ze dan.

Eigenlijk moet je tegen Bloem heel lelijk doen. Anders kom je hartstikke in de problemen. Maar dan moet je wel de juiste woorden vinden.

Ze doet een stap dichterbij. 'Kom op Ros, vertel het gewoon. Ik heb toch ook geen geheimen voor jou?'

Bloem wil altijd over geheimen praten. Ik niet. Geheimen zijn meestal gezeur.

'Laat me met rust.'

Ze doet nog een stap naar voren en kijkt me bazig aan. Zo doet ze dat. Alsof ik niet twee jaar ouder ben en een kop groter dan zij.

Plotseling haalt ze een zakje gombeertjes uit haar broekzak en schudt hem leeg in haar mond. Alle beertjes tegelijk. Ze smakt en wijst naar het zakje. 'Jij ook?'

Daar trap ik niet in.

'Ga naar huis,' zeg ik, maar ik durf haar niet weg te duwen.

Ze gooit een nieuw zakje omhoog en ik vang het.

Ik gooi het snel terug en nu vangt zij het.

Daar moet ze hard om lachen. Plotseling slingert ze drie zakjes tegelijk de lucht in.

Ongelooflijk! Hoeveel snoep krijgt dat kind!

Twee zakjes kan ik opvangen, het derde valt op de grond.

Vlug zet ze haar voet erop. Met samengeknepen ogen in

haar mollige gezicht kijkt ze me aan. 'Gisteren sloeg hij haar,' fluistert ze. 'Het bloedde als een rund.'

Waar heeft ze het over?

Haar ogen laten me niet los. 'En bij jou? Slaat jouw vader je moeder?'

Ik slik.

'Geef maar toe!'

Ze neemt een nieuwe hap gombeertjes en zegt met volle mond: 'Ik hoor ze toch zelf! Bijna iedere dag.'

'Ik wil niet met je praten, Bloem!'

'Echt wel.'

'Omdat je bij mij achter woont zeker?'

'Nee, niet daarom. Omdat we een soort tweeling zijn. Kijk!'

Ze pakt mijn arm en wijst op de moedervlek, net boven mijn pols. Dan laat ze haar eigen arm zien. Op dezelfde plaats zit precies zo'n vlek.

Ik buig me voorover om hem beter te bekijken. 'Is dat bruine viltstift?'

Bloem schudt van nee. 'Gewoon één van onze duizend geheimen.'

'Duizend geheimen?'

'Ja. Dat jouw blauwe dekbed kapot is en het mijne nu ook. Dat de sleutel van jullie achterdeur onder de emmer ligt. Dat je moeder altijd sigaretten leent. Dat jouw vader in de tuin plast. Dat hij schreeuwt en slaat...'

'Stop! Hoe weet je dat allemaal?'

'Ik vertel het aan niemand. Allemaal geheim!'

Bloem steekt haar vingers in de lucht. 'Ik zweer het.' Ze spuugt op de grond. Tussen de spuugbelletjes liggen fijngemalen restjes gombeer: geel, groen en rood.

'Bloem! Bloem!' hoor ik iemand roepen.

We kijken allebei naar de straat. Bloems moeder staat met drie papieren kledingtassen in haar hand om zich heen te kijken.

Ik probeer of ik een pleister op haar gezicht kan zien, zoals ma soms heeft. Of een blauw oog. Maar ik zie alleen blonde haren die stralen in de zon. En een brede glimlach als ze haar dochter ontdekt.

'Ik moet gaan,' zegt Bloem. Ze wijst met haar vinger op zichzelf en daarna op mij: 'Mijn geheim, jouw geheim.' Dan knipoogt ze.

Ze rent naar haar moeder. Ze knuffelen elkaar en de moeder strijkt even over Bloems rug als ze de straat uit lopen.

Wie knipoogt er nou?

Niemand! Alleen de oude man bij wie ma onze spullen brengt als ze geld nodig heeft. En Bloem dus.

Ik raap het zakje gombeertjes van de grond.

7.

Aarzelend komen de opa en de oma weer tevoorschijn van achter de zuilen. Ze zijn erg van Bloem geschrokken, en van alle dingen die ze van mij wist.

Maar als ik lekker overdreven knipoog, worden ze weer een beetje vrolijk.

De oma probeert of ze ook kan knipogen. Per ongeluk gaan allebei haar ogen dicht. Daar moeten we ontzettend om lachen.

'Is iedereen klaar om weer verder te gaan?' vraag ik.

De oma knikt en de opa houdt glunderend een hand kastanjes omhoog.

Precies! Vergeet Bloem. We hebben werk te doen. Leuk werk. Afvaltuintjes versieren.

We verlaten de stille plekken, lopen naar de Drukke Gracht en stappen voorzichtig de trap af naar het water. Daar heb ik een tijd terug precies de goede boom zien staan. Echt overal in de stad vind ik haarelastiekjes. Ik snap niet dat al die meisjes en vrouwen ze steeds verliezen. Alsof ze met elkaar hebben afgesproken dat in iedere straat minstens één elastiekje hoort te liggen.

Al snel had ik zoveel elastiekjes dat ik niet wist waar ik ze moest laten. Toen heb ik ze aan de takken en uitstekende knobbeltjes van deze boom vastgemaakt.

Van ver zie je niets. Maar als je dichtbij staat, is het grappig. Ik wil er nog een keer een bordje in hangen: 'De groeten van kapper Ros' of zo. Maar misschien doe ik het ook niet.

De oma en opa piekeren waar ze de kastanjes moeten laten. Uiteindelijk leggen ze er drie op de dikste tak.

Op de kade zien we een dode hommel. Die kan hier niet zomaar blijven liggen. Ik pak mijn schepje uit de rugzak en graaf een kleine kuil aan de voet van mijn boom. Voorzichtig leg ik de hommel erin met naast hem een kastanje. Dan kan hij tenminste nog ergens van genieten nu hij dood is.

De opa neemt de oma bij de hand. En dan klimmen we samen de glibberige trap op, terug naar de straat.

We lopen langs de winkels en ik trek mijn pet wat dieper over mijn ogen.

'Kom maar,' zeg ik tegen de oma. 'U moet oppassen. Het is hier ontzettend druk.'

Gelukkig zijn we al snel bij de Oude Kerk.

Er zijn zoveel kerken in de stad! Alleen bij twee heb ik mijn afvaltuintje zo ver af dat ik iets kan laten zien.

Aan de ijzeren regenpijpen van de Oude Kerk zitten haken, zodat je niet langs de pijp naar boven kunt klimmen. Aan die haken hangen nu dunne draden waaraan mijn vlinders van snoeppapier dansen. In iedere vlinder heb ik een woord verstopt. Ik weet ze niet meer allemaal, maar het waren echte vlinderwoorden zoals 'anders', 'vrij' en 'nieuw'.

Ook nu moeten de opa en oma even nadenken voor ze een goede plek voor de kastanjes weten. Maar ze zijn slim. Gewoon een wikkel van een mueslireep oprapen en daar drie kastanjes in laten glijden! Dit kastanjecadeautje leggen ze boven op een haak.

Bij de kleine steeg langs het snoepmuseum en de bioscoop hangen mijn lege kauwgomstrips aan een lantaarnpaal. Ik wil er nog veel meer maken, want ze ritselen zo leuk in de wind. Eerst had ik op de halfhoge muur bij de fietsen lege plastic flessen gezet en er ogen op getekend. Het leek net een groepje kinderen dat ook graag naar de film wilde en wel een snoepje lustte, maar niet naar binnen durfde. De volgende dag was alles opgeruimd.

Onder aan de lantaarnpaal maakt de opa een kring van kastanjes. Ik hoop maar dat deze wel blijven liggen.

'Zo, dit was het drukke gedeelte, nu gaan we naar het laatste afvaltuintje. Gaat het nog?'

De opa en oma knikken, maar volgens mij zijn ze doodop.

We lopen naar de vervallen muur tegenover de schouwburg. Ik heb er allemaal sleutels in gestoken en met een gevonden zwarte stift sloten omheen getekend. De opa en oma klappen verrast en vinden dit het hoogtepunt van de rondleiding.

Ik zeg dat het niet veel voorstelt. Al ben ik natuurlijk best trots.

De opa bedankt me wel honderd keer en belooft me dat hij ervoor gaat zorgen dat ik op tv kom. De oma omhelst me zelfs. Deze keer vind ik het niet erg, ook omdat ze lekker ruikt.

En dan lopen we samen naar de bushalte. Ik geef ze ieder nog een paar kastanjes mee voor thuis. Als aandenken.

8.

Ik had al lang buiten willen zijn. Er zijn vandaag vast nieuwe kastanjes van de boom gevallen. Ik heb er nog zoveel plannen mee!

Maar juf Barbara blijft maar praten. Het lukt me zelfs niet om weg te dromen over mijn afvaltuintjes of over de oude opa en oma. Want ze kijkt me tijdens het praten nu al voor de derde keer onderzoekend aan.

Ineens ben ik klaarwakker. Ziet ze iets aan mij? Zie ik er anders uit omdat er weer ruzie is geweest? Vanmorgen ben ik stil het huis uit geslopen toen pa en ma tegen elkaar stonden te schreeuwen. Ik moest lang stevig doorlopen om weer helemaal Ros te worden. Nu voel ik me best gewoon. Maar misschien zie ik er toch nog een beetje anders uit?

Dan glimlacht juf Barbara en kijkt met haar speurende blik de klas rond naar de andere kinderen. Iedereen lijkt gewoon naar haar te luisteren.

Alles is normaal.

Gelukkig.

Zodra de les eindelijk klaar is, race ik de klas uit.

Al rennend trek ik mijn jas aan en laat ik mijn rugzak over mijn schouders glijden. Dan zet ik mijn pet recht en kan ik eindelijk naar buiten.

Het is kouder dan gisteren. Maar als ik de winkelstraat oversteek, schijnt de zon ook nu stralend. Nog eens hetzelfde woord van de dag kiezen mag niet. Dat heb ik eerder al besloten. Dus kijk ik goed om me heen.

Eerst valt me niets op. Dat gebeurt bijna altijd als ik net begin te kijken. Pas na een tijdje zie ik wat er echt anders is vandaag. De bladeren! Gisteren lag er bijna niets op de grond, nu hebben sommige bomen er al een heleboel laten vallen.

'Laten vallen' klinkt stom. Maar het is wel zoiets.

'Loslaten' besluit ik. Stoer woord.

Omdat bijna al mijn kastanjes zijn opgegaan aan de afval-tuintjes wil ik nieuwe zoeken. Misschien liggen er weer een paar bij de oude boom naast de sterrenwacht.

Van veraf lijkt het alsof er vrolijk wordt gespeeld. Als ik dichterbij kom hoor ik geroep, getik en gekraak.

Twee grote jongens proberen de kastanjes met stokken en lege bierflessen uit de boom te gooien. Overal liggen kapotge-trapte bolsters, geknakte takken en glas. Als ik aankom, spat net de laatste fles aan scherven.

'Kom, we gaan,' zegt de grootste jongen. 'Deze is leeg.'

De ander ziet me staan. Hij grijnst naar me en roept dan: 'Te laat! Ze zijn allemaal van ons!'

In mijn broekzak duw ik de nagels in mijn handpalm. Met mijn andere hand zet ik vlug mijn pet recht.

De jongens sjouwen allebei een volle plastic tas over het pad, in de richting van de stad.

Het tapijt is helemaal kapotgetrapt.

Ik leun tegen de stam. Leg mijn hand op zijn bast.

De boom huilt. Het kan niet anders. Maandenlang liet hij zijn kastanjes elke dag een beetje groter groeien. En hij be-schermde ze met schillen vol stekels. Net zo lang tot er een enorme schat aan zijn takken hing.

Nu is hij beroofd.

Ik moet het goedmaken. Sorry zeggen omdat die jongens dit hebben gedaan en hem troosten.

Ik besluit naar de Kleine Kerk te gaan om een paar papieren duiven op te halen. Die kunnen op de boom passen en voor hem koeren tot hij rustig wordt en de pijn niet meer zo voelt.

9.

Ik heb geluk. De mevrouw met het bloemetjesschort die zo vaak haar ramen zeemt, is er weer. We praten nooit. Zonder dat ik het haar hoefde uit te leggen, weet ze dat ik er niet van houd. Maar ze leent me haar keukentrap. Dan gaat ze naar binnen om een kop thee te drinken en laat haar trap staan. Ik zie wel dat ze door haar raam af en toe naar me kijkt. Maar haar ogen zijn oké.

Ik zet de trap tegen de stenen pomp en klim naar boven. Op de richel maak ik drie duiven los. Voorzichtig doe ik ze in mijn rugzak. Ik leg ze uit dat ze me moeten helpen de oude kastanjeboom te troosten.

De overgebleven duiven zet ik wat wijder uit elkaar, zodat ze toch met zijn allen kunnen rondlopen.

Dan zie ik iets geks. Op een van de hoeken waar de opa gisteren een kastanje heeft gelegd, staat nu een diertje. Ik pak het op en zie dat het is gemaakt van kastanjes en wat ijzerdraad. Het is een krekel. Dat zie je aan zijn voelsprieten en de lange, dubbelgevouwen poten.

Het is een mooie krekel, een heel mooie krekel!

Ik houd mijn adem in.

Dit is nog nooit gebeurd. Iemand heeft iets in mijn afvaltuintje gelegd!

Ik kijk naar het raam. Daarachter staat de mevrouw met het bloemetjesschort. Ik lach naar haar. Het gaat vanzelf. Maar nee, zij kan het niet zijn geweest.

Dan kijk ik of er nog iets op de richel ligt, een briefje of zo.

Niets. Alleen de overgebleven duiven en de krekel.

Ik twijfel. Wat zal ik doen? Zal ik de krekel meenemen?

Nee, ik laat hem nog even bij de duiven. Want ik neem al drie van hun broertjes mee naar de kastanjeboom.

De mevrouw zal vast goed op de krekel passen.

Bij de Oude Kerk wil ik een van mijn vlinders losmaken van de regenpijp, als ik een nieuwe vlinder zie. Niet van snoeppapier, maar van kastanjes en ijzerdraad!

Hoe is het mogelijk? Ook hier is van mijn kastanjes een dier gemaakt. En wat voor één!

Mijn voeten dansen kleine passen, het gaat vanzelf.

Dolgraag wil ik de kastanjevlinder meenemen. Maar ik twijfel weer. Misschien staat hij hier niet voor niets.

Ik huppel terug naar de kastanjeboom. Ik zal hem vertellen dat we een vriend hebben die ook van dieren houdt.

Ik sta op mijn tenen. In mijn ene hand houd ik de drie duiven en de snoepvlinder vast. Met mijn andere hand tast ik tussen de spijkerbollen naar een goede plek om ze neer te leggen.

Het eerste wat ik voel is ijzerdraad.

Yes! Natuurlijk. De kastanjeboom is zelf ook een afvaltuintje en kennelijk kent mijn vriend al mijn tuintjes. Hij heeft ze versierd!

Ik haal het diertje uit de holle boom. Het is een kikker. Net zo mooi als de krekel en de vlinder.

Een tijd lang bekijk ik hem, daarna leg ik hem terug, samen met de duiven en de snoepvlinder. De kastanjeboom zal blij zijn.

Zo hard als ik kan ren ik naar de andere afvaltuintjes.

Ja hoor!

Ik vind nog een spin, een rups, een muis, een bij en een uil. Ze zijn zo mooi en passen zo goed bij mijn tuintjes.

Alleen bij de kappersboom met haarelastiekjes aan de Drukke Gracht liggen de kastanjes er nog gewoon.

Heb ik nu een echte vriend? Een vriend die de goede plekken kent en cadeautjes voor me neerlegt?

De enige mensen die net zo door de stad lopen als ik zijn

zwervers. Nou, als Vriend een zwerver is, dan is hij wel een heel bijzondere! Want zulke dieren van kastanjes en ijzerdraad heb ik nog nooit gezien.

Ik wil iets tegen hem zeggen. Iets antwoorden. Maar wat?

Er schiet me niets te binnen, alleen het woord van vandaag.
Dat moet dan maar.

Snel scheur ik een stuk papier uit een van mijn opschrijfboekjes en schrijf erop: 'Woord van de dag: loslaten'. Ik vouw het tussen de poten van de uil en zet hem terug in de struiken naast de sleutelmuur.

Zal Vriend het snappen?

10.

Als eerste spring ik op om de klas uit te lopen. Ik ben hartstikke benieuwd of Vriend mijn briefje heeft gevonden. En of er weer iets in mijn afvaltuintjes ligt.

Maar juf Barbara houdt me tegen bij de deur.

'Ros, heb je even tijd voor me?' vraagt ze.

Ik durf geen nee te zeggen en doe mijn pet weer af. Sloffend loop ik terug naar mijn tafel.

Als iedereen weg is, gaat ze voor in de klas op het stoeltje van Diede zitten. Daarna wijst ze op haar eigen bureaustoel. Ze heeft hem er al tegenover gezet. 'Neem jij die maar, dan zijn we even groot als we samen praten.'

Samen praten lijkt me niks.

'Gewoon gezellig, jij en ik,' zegt ze dan ook nog.

Ik zie dat haar zachtroze nagellak overal is afgebladderd. Op al haar vingers, behalve haar rechterpink. Pinken zijn rare dingen. Terwijl de rest van je vingers al het werk opknappen, bewegen ze maar een beetje mee.

'Ros?' vraagt juf Barbara.

'Ja?' zeg ik. Ik moet dit niet verpesten.

Juf Barbara lacht naar me. 'Ik ben blij dat je het de laatste tijd zo goed doet op school. Vorig jaar was even moeilijk, geloof ik. Zeker toen Maud ineens verhuisde. Je beste vriendin verliezen is niet niks!'

Ze haalt diep adem.

'Maar nu gaat het dus goed. Toch?'

Ik weet niet of ik iets moet terugzeggen.

Juf Barbara buigt zich wat vooover om me nog beter aan te kijken. 'Weet je, Ros, misschien wil je een keer met iemand praten. Je kunt altijd bij me aankloppen.'

Wat bedoelt ze? We zitten nu toch te praten?

Een paar seconden wacht ze. Ze weet niet meer hoe ze verder moet. Dat ken ik.

Dan zegt ze, zomaar opeens: 'Is alles goed thuis?'

Ik slik.

Zij ook.

Ze wriemelt met haar handen en dan zie ik waarom alle nagels zijn afgebladderd en die ene pink niet. Ze wrijft er steeds met haar duimen over. Ook over de linkerpink. Alleen de rechter houdt ze zwevend in de lucht. Alsof ze er deftig thee mee drinkt.

'Hebben je ouders wel genoeg tijd voor je? Ik bedoel, volgens mij hebben ze het heel druk.'

Dat klinkt gek, dat ze dat zegt over pa en ma. Ik kijk haar aan en dan begint ze te lachen.

'Is het zo'n domme vraag? Misschien trek ik ook wel heel verkeerde conclusies. Het spijt me. Ik dacht gewoon, omdat je al twee weken dezelfde broek aanhebt... Nou ja.'

Ik kijk naar mijn broek en nu zie ik het ook. Er zitten vlekken op van de spullen van mijn afvaltuintjes.

Stom! Ik had het dus al verpest voordat ik hier ging zitten. Meteen besluit ik dat ik nóg beter moet opletten. Alleen als ik niet opval, kan ik mijn gang gaan.

We praten nog wat over van alles en nog wat. Tenminste, juf Barbara praat. Of ik Maud erg mis en dat Maud een kaart naar onze school heeft gestuurd. Over alle nieuwe dingen die ze in het zuiden leert. Maar dat weet ik al, want juf Barbara heeft de kaart vorige week zelf aan de klas voorgelezen.

En dan mag ik gaan.

11.

Door dat gedoe met juf Barbara ben ik hartstikke te laat. Ik weet het ineens heel zeker. Vriend heeft op me staan wachten en is toen verdrietig naar huis gegaan.

Ik ren door de straten naar mijn sleutelmuur bij de schouwburg. Alsof ik door hard te rennen kan zorgen dat hij zich omdraait en besluit toch nog even te blijven.

Onderweg hoor ik het gekrijs van de kauwen weer. Ze trekken altijd aan het eind van de middag met honderden tegelijk naar het park. Daar slapen ze in de bomen en 's ochtends vliegen ze naar grasvelden buiten de stad. Ik hoorde het twee oude vrouwen aan elkaar vertellen. En dat ze verbaasd waren omdat niemand de kauwen leek te zien. Nou, ik dus wel.

Heel even blijf ik staan en kijk omhoog. De kauwen steken als zwarte punten af tegen de stapelwolken. Ze schrijven samen letters in de wolkenlucht. Als je goed kijkt kun je ze lezen. 'H A A S T' lees ik. En het is waar. Rennen moet ik, anders haal ik het niet.

Eindelijk ben ik bij de sleutelmuur. Geen Vriend. Toch voel ik dat hij er was. Heeft hij misschien iets achtergelaten?

Ik zoek in de struiken naar de uil. Ja, hij staat er nog. Het briefje tussen zijn poten is verdwenen, maar hij knikt naar me. Want in zijn snavel heeft hij een nieuw stuk papier. Yes!

Ik pak het. Het is uit een krant gescheurd.

'Inderdaad,' staat er, met daaronder in bibberige potloodletters: 'Loslaten. Daar draait het om.'

Vriend heeft het woord begrepen! Hoe is het mogelijk?

'Wat een goede boodschapper ben jij!' zeg ik tegen de uil. Ik geef hem een kus en zet hem terug op zijn plaats.

Dan zie ik het zonnetje liggen.

Dat je zoiets moois kunt maken van alleen maar ijzerdraad! Mijn vingers strijken voorzichtig langs de kleine stralen. Alsof ik er nog meer van kan genieten door ze te voelen.

Het was geen toeval. Vriend heeft mijn afvaltuintjes gezien en geeft me cadeautjes. Hij praat zelfs met me, al zijn het maar een paar woorden.

Het is net zoiets als met Maud, voordat ze verhuisde. En toch is het helemaal anders.

Hoe zal het nu verder gaan?

Zou hij nog meer kastanjedieren hebben gemaakt?

Ik moet meteen gaan kijken of er nu wel één bij mijn kappersboom ligt.

Op dat ogenblik hoor ik een fles die kapot wordt gegooid op straat. En geschreeuw: 'Rot op, vieze klootzak!'

Het is om de hoek.

Zonder dat ik er wat aan kan doen, beginnen mijn benen te trillen. Weg moet ik, weg van hier! Maar ineens kan ik niet meer lopen. Ik leun alleen maar tegen de muur van een huis.

Mijn hart bonkt als een gek. Doffe dreunen tot tussen mijn oren. Ik wil het niet, ik wil de baas zijn.

Ik moet de baas zijn!

Maar ik denk als vanzelf aan ander geschreeuw. Aan een slaande deur met rinkelend glas. Aan de Grote Ruzie, vorig jaar...

Denk aan iets moois! Aan een goudbruine kastanje in je hand. Denk daaraan.

Het bonken wordt minder.

Eindelijk, het lopen lukt weer. Ik voel dat ik het kan, al doe ik het nog niet. Eén tel nog, eerst goed ademhalen. Dan zet ik mijn pet recht en ren weg, tot ik bij de Kleine Kerk ben. Daar ga ik zitten op de vrolijke tegelbank.

Ik haal het zonnetje uit mijn zak, samen met mijn laatste kastanje. En ik houd ze tegen mijn wang.

12.

Fairouz vraagt zacht: 'Gaat het?'

Verschrikt kijk ik op. Ik ben nog op het politiebureau en zie dat mijn handen vochtige vlekken op de tafel hebben gemaakt. Er staan twee handpalmen en tien vingers in een wolkje op het ijzeren blad.

Wat heb ik allemaal verteld?

Ik kijk in de rustige ogen van Fairouz.

Ze knikt vriendelijk.

'Het is oké. Je kunt me alles vertellen wat je wilt.'

Even zeggen we allebei niets.

Dan wijst ze op de drie vellen papier die nog voor me op tafel liggen en grinnikt. 'Dat was dus best een goede zin om je verhaal mee te beginnen.'

Ik lees hem nog eens. Het lijkt uren geleden dat ze die zinnen aan me gaf.

Fairouz houdt haar schrijfblok omhoog. 'Zal ik drie nieuwe voor je bedenken, voor het vervolg?'

Maar ineens heb ik geen zin meer. Ik wil naar huis, diep onder de dekens kruipen en alles vergeten.

Het ziet er gek uit: Fairouz wachtend met dat schrijfblok in de lucht. Ze merkt het zelf ook en glimlacht.

Ze legt het terug op tafel.

Peinzend kijkt ze me aan. 'Wil je liever een andere keer verdergaan?'

Ik haal mijn schouders op.

'Misschien was het ook wel niet zo'n goed idee je meteen zoveel vragen te stellen. Je hebt behoorlijk wat meegemaakt de laatste tijd.'

De wolkjes op het tafelblad zijn verdwenen.

Nu zou ik moeten opstaan.

Ik knik nog eens om moed te verzamelen, maar mijn lijf is te zwaar. Zelfs mijn arm optillen om alvast mijn pet van de tafel te pakken lukt niet.

Dan denk ik aan Floriaan. En aan de dieren die hij speciaal voor mij maakte.

Ik moet het nog even volhouden. Voor hem. Hij verdient het.

'Het gaat wel weer,' zeg ik.

'Weet je het zeker?'

Ik wijs op het schrijfblok. 'Een paar dagen moest ik erover nadenken...'

Fairouz kijkt me vragend aan.

'De beginzin.'

'O ja, de beginzin.'

Ze schuift haar stoel een beetje dichterbij.

13.

Een paar dagen moest ik erover nadenken wat ik hem kon teruggeven. Vanmorgen wist ik het ineens. Natuurlijk: mijn woordendoosje!

Meteen spring ik uit bed en glip het huis uit.

Een paar straten verderop zie ik op de stoep een lange tafel staan met koffiekannen, limonade en stroopwafels erop. Voor straks, want nu zijn alle kinderen uit de straat druk bezig hun ouders te helpen. De ouders wieden onkruid en vegen het vuil bij elkaar. De kinderen mogen graffiti van de muren halen.

Ik ga zo dichtbij staan als ik durf.

Met twee spuitbussen sproeien de kinderen over de slinge-rende zwarte letters op de muur. Ze moeten even wachten en maken intussen grappen door net te doen alsof ze elkaar on-derspuiten. Daarna vegen ze de graffiti er met een borstel af. Tjonge! Geen zwart meer te zien.

Nu praten ze allemaal opgewonden door elkaar. De oudste jongen roept: 'We doen een wedstrijd wie de moeilijkste plek-ken weg krijgt!'

Iedereen wil een spuitbus. Maar de oudste gaat als eerste.

Geen kans dat ik ook mag. Toch blijf ik staan kijken.

Het lukt ze zelfs de vol gekladde muren van het kleine huis naast het spoor schoon te krijgen.

Ze lachen trots naar hun ouders en die lachen terug.

Dan zet ik mijn pet recht en loop snel door.

Na een tijd zie ik in de goot een dood muisje liggen. Ik buk me om hem beter te bekijken. Er ligt een dekentje van fijne dauwdruppels op zijn vacht. Wat is hij klein!

Ik haal mijn schep uit de rugzak, schuif het muisje erop en

zoek om me heen naar een goede begraafplek. Niets, alleen straten, muren en bikkelharde aarde rond een boom. Meenemen dan maar. Met de schep voor me uit loop ik naar de Muziektuin.

Het is nog vroeg als ik er aankom. Maar er spelen al heel wat studenten: viool, piano en dwarsfluit. Ik vind het heerlijk om naar ze te luisteren. En te bedenken dat die studenten, die allemaal voor zichzelf spelen, ook samen nog een gekke nieuwe melodie maken. Een melodie die alleen ik hierbuiten hoor.

'Melodie' vind ik trouwens echt een woord voor vandaag.

Het muisje begraaf ik dicht bij mijn zilveren bloemen. Ik kan er wel om lachen dat Vriend juist hier een kastanjemuis heeft neergezet. Die mag over zijn dode broertje waken.

Mijn woordendoosje ligt boven op de uitstekende rand van een van de zuilen in de Muziektuin. Ik ga op mijn tenen staan en pak het.

De bank in de tuin is te nat, dus ga ik op de halfhoge muur tussen de zuilen zitten. Ik kijk naar het sigarettendoosje, dat ik met gekleurd papier heb omwikkeld. 'Woorden van Ros' heb ik erop geschreven. Het is een soort schatten-verzamel-doosje. Niet van dingen, maar van woorden dus.

Ik haal alle woorden eruit. Ik heb ze gespaard en op losse stukjes papier geschreven. Mooie woorden, stevige woorden, uithuil-woorden, herinneringswoorden.

Zouden ze Vriend iets zeggen?

Ik probeer ze zo te lezen alsof ik hem ben:

oude landkaart
   kleine dieren
boeken
     eigen leven
      woord van de dag

  besluit
        wegdenken
        losmaken
          ~~mensen~~
              speeldoos
         ~~Bloem~~
         ~~Maud~~
        Jill
       proeven
       lopen
         doorgaan
        ~~praten~~
            begraafplek
               niet opvallen
           afvaltuintjes
         eten
       besluit
     volhouden
    stralend
      kastanjes
      bruin goud

Ik glimlach als ik zie dat ik 'besluit' er twee keer in heb gestopt. De tweede haal ik eruit. De andere woorden stop ik terug in het doosje. Waar zal ik het neerleggen?

   Van al mijn afvaltuintjes is die achter het Museum met het
Rotte Schip de beste verbergplek. En Vriend kent hem.

14.

In mijn ene hand draag ik een plastic tas met mijn mooiste boeken. Mijn andere arm klem ik om een schoenendoos, waarin ik mijn speelgoeddieren heb gedaan. Ze rammelen. Als ik de laatste straat in loop, leg ik mijn oor op het deksel.

Fluisterend vraagt de schildpad aan de kikker: 'Weet jij waar we heen gaan?'

Ik vertel ze niks, want ik ben benieuwd wat de kikker zegt. Maar voordat hij kan antwoorden kwetteren de grasparkieten al door elkaar:

'Hou je bek!'

'Idioot!'

'We worden verkocht.'

'Net als dat slome nijlpaard.'

'En de buffels.'

'En de gnoe en de giraf.'

'En de paarden Lippizaner, Palomino en Lusitano.'

'De vorige keer waren het de grote dieren, want die brachten het meeste geld op.'

'Nu zijn wij kleintjes aan de beurt.'

Ten slotte krijsen ze in koor: 'Domoren. Jullie weten ook niks!'

De schildpad en de kikker durven niets meer te zeggen. Alleen het dwergkonijn piept vanuit zijn hoek van de doos: 'Maar waarom dan?'

'Daar gaan we het niet over hebben,' roept de blauwe grasparkiet.

'Ben je soms vergeten wat we vorig jaar hebben besloten?' bitst de gele.

'Alles wat pa en ma doen is hun zaak.'

'Wij hebben ons eigen leven.'

Zacht, om de dieren niet te laten schrikken, tik ik met mijn pink op de doos. 'Het komt allemaal goed. Ik breng jullie naar Jill. Daar zijn jullie veilig. Ik beloof je: er wordt niemand meer verkocht.'

We zijn er bijna. Met de plastic tas en de schoenendoos loop ik heel voorzichtig de trap af naar de gracht. Jill heeft hierboven aan de straat een huis met drie verdiepingen, helemaal voor zichzelf alleen. Geërfd van Konrad, die verliefd op haar was, maar ook al heel oud. Toch zal ze wel weer in haar werfkelder zitten. Daarom bel ik nooit boven aan. Ze restaureert schilderijen en sluit zich soms wekenlang beneden op. Net zo lang tot zijzelf er niet meer uitziet en het schilderij juist wel.

Ik duw de deur van het atelier open.

'Ros!' juicht Jill. 'Ik hoopte al dat je zou komen. Ik heb een nieuwe smaak voor je.'

Zoals altijd heeft Jill haar tuinbroek met bloemen aan. 'Die staan leuk bij mijn blonde krullen,' zei ze toen ze hem net nieuw had.

Nu kun je geen bloem meer zien, zoveel verfklodders zijn erop gekomen. Soms denk ik dat ze het expres doet. Dat ze haar broek gaat schilderen als ze zich verveelt, of omdat ze niet verder komt met haar schilderij.

Jill komt op me af met een theedoek die ruikt naar terpentijn. Eigenlijk kun je met zo'n sterke geur in je neus niet goed proeven, maar ja.

Ze bindt hem voor mijn ogen en leidt me naar achter. De tas en de doos heb ik nog steeds in mijn handen.

'Hier, het is een oud recept,' zegt Jill. 'Heel gezond.'

Als Jill 'gezond' zegt, word ik meteen voorzichtig.

'Zal ik die spullen van je overnemen?'

Ik knik, waardoor de knoop van de theedoek in mijn nek trekt.

Jill rommelt met de doos en kijkt er kennelijk in. 'Wil mijn zusje weer jouw speelgoed verkopen? Heeft ze geld nodig voor die stomme gokkast?'

Nog eens knikken hoeft niet, Jill weet toch alles al.

Het is even stil. Ik weet zeker dat we allebei proberen niet te denken aan de Grote Ruzie vorig jaar. Toen ik een week bij Jill logeerde. En daarna terug moest. En toen Jill en ik elkaar eigenlijk nooit meer mochten zien.

'Kom,' zegt Jill zacht. 'Proef maar.'

Ik hoor dat ze een dop losdraait en hoe een fles tegen een lepel tikt.

'Snot, gemorst,' zegt Jill, en ik hoor haar voet over de grond vegen. 'Hier.'

Ik proef. Ik herken de smaak en heb zelfs meteen het woord dat erbij hoort. 'Vlier.'

'Hoe weet je dat nou?'

'Van de geur van de bloesems. Die herken ik overal meteen.'

Snel trek ik de theedoek van mijn hoofd. 'Maar ik vind het alleen lekker om te ruiken.'

Eigenlijk had ik gehoopt dat ik met Jill kon praten. Over de kastanjes, de dierfiguren en Vriend. Maar Jill zit alweer te schilderen.

'Sorry meid, ik heb de directeur beloofd dat hij dit schilderij maandag terug heeft. Hij is toch al iedere keer aan het mopperen dat je schilderijen tegenwoordig niet meer in kelders restaureert. Ik kan het niet maken ook nog te laat klaar te zijn.'

Ik knik en draai me om.

'Jouw doos geef ik een speciale plek, hoor,' roept Jill nog.

Als ik bij de deur sta bedenk ik ineens iets heel belangrijks. Ik loop terug en vraag Jill naar mijn Duitse roggebrood.

'Snot!' roept Jill. 'Helemaal vergeten te kopen.'

Ze pakt een stuk karton uit de hoek en tekent er razendsnel een gek mannetje op. Hij heeft zijn handen op zijn hoofd. Erboven schrijft Jill in een ballonnetje: 'Oei, oei, oei! Wat ben ik dom!'

Ik laat het maar. Jill kan nu toch niet weg om roggebrood te kopen. Maar ze heeft geen idee wat voor problemen ik hierdoor krijg op school.

15.

Mannen met dikke oorbeschermers op hun hoofd blazen de bladeren van de paden. Stoer lopen ze met hun grote toeters voor zich uit, alsof het ze allemaal niks doet. Maar aan hun ogen zie je dat ze net zo genieten van de rond dwarrelende bladeren als ik.

Wat een geluksvogels. Iedereen zou dit werk wel willen doen.

Op een afstand blijf ik staan kijken. Ik wil naar het afval-tuintje achter het Museum. Zien of Vriend het woordendoos-je al heeft gevonden. Maar de groeiende bladerhopen in het park houden me gevangen. Nog even.

De zon schijnt weer net zo stralend als een week geleden. Haar stralen en de rood-gele bladeren betoveren het park. De kauwen zijn er nog niet. Wel merels, roodborstjes, goudvin-ken, eenden en duiven. Ze kwetteren en fluiten en kwaken en koeren. Alsof ze een wedstrijd doen met de bladerenblazers.

De mannen lopen door. Nu komt er een wagentje dat de bladeren nog verder bij elkaar veegt tot één hoop. Die hoop is zo breed als een tweepersoonsbed en tot mijn middel zo hoog. Hij ziet er heerlijk uit.

Nog even blijven, besluit ik.

En ik word beloond. Want al snel rijdt ook de wagen weg. Ik doe mijn rugzak af en neem een grote duik in de bladeren-hoop. Hartstikke zacht. En het ruikt zo lekker! Naar beuken-nootjes en mos.

Met mijn armen en benen wijd lig ik in de bladeren, ik gooi er zelfs wat over me heen.

Ik denk aan de brief die de opa me heeft gestuurd. Hij

schrijft dat hij en de oma hebben genoten van mijn rondleiding. En dat ze graag binnenkort terugkomen. Dan nemen ze extra veel boterhammen mee. De mevrouwen die hij kent van de tv waren heel enthousiast, schrijft hij. Het kan zomaar zijn dat ze binnenkort een programma over afvaltuintjes maken. Ik bedenk dat ze dan ook de kastanjedieren kunnen filmen. Want de tuintjes zijn niet meer van mij alleen, maar ook van Vriend. Dat moet ik de opa nog vertellen.

Ik staar naar boven, tussen de takken van de bomen. Heel in de verte trekt een vliegtuig een streep door de blauwe lucht. Die streep is van voren dun en van achter waaiert hij steeds verder uit. Het is een pijl die naar het museum wijst.

Hij heeft gelijk. Ik moet gaan.

Vlug prop ik nog wat mooie bladeren in mijn rugzak. Daarmee kan ik zachte bedjes maken voor de kastanjedieren in mijn tuintjes.

Achter het Museum met het Rotte Schip staan twee zwervers. Vlak naast mijn afvaltuintje. Ze roken een sigaret.

Ik kom later wel terug, denk ik, als niemand me kan zien. Maar ineens bedenk ik dat één van hen misschien Vriend is. Waarom staan ze anders hier?

De afgelopen dagen heb ik me afgevraagd hoe Vriend eruitziet. Ik ben langs al mijn tuintjes gelopen en heb de dieren nog eens goed bekeken. Eén voor één heb ik ze verhaaltjes verteld en gevraagd of ze iets terug wilden zeggen.

De rups bij de Sterrenburg heeft het me uiteindelijk verteld. Nou ja, laten ruiken. Zijn ijzerdraadjes en kastanjelijf ruiken naar rook. Van een houtvuur. Alsof Vriend hem dicht bij een houtvuur heeft gemaakt.

'Is hij 's avonds buiten en heeft hij het koud?' vroeg ik de rups. En de rups knikte.

'Is hij een soort zwerver?' Niet nodig daarop te antwoorden, vond de rups. Dat was toch logisch?

'Is hij veel alleen?' De rups haalde zijn schouders op. Je moest niet overdrijven met al die vragen. Dat zou allemaal vanzelf wel blijken. Of niet. 'En dat ligt aan jezelf,' leek de rups te willen zeggen. 'Of je hem echt wilt leren kennen en je best doet.'

Pfff, rupsen!

De mannen naast mijn afvaltuintje dragen kort haar en schone kleren, maar hebben wel oude plastic tassen bij zich. Als ze me zien, groeten ze. Geen van hen is Vriend. Ik zie het aan hun handen: die kunnen wel sigaretten draaien, maar geen diertjes maken.

Dus loop ik door.

Na een tijdje kom ik terug.

Gisteren lag er nog geen antwoord. Maar dat zegt niets. Vriend had vast veel te doen.

Yes!

Het woordendoosje is versierd! Er zit een soort houder van ijzerdraad omheen met als knop een kastanje.

Lachend pak ik hem op. Ik ruik er zelfs aan. Ja, dezelfde rookgeur als bij de kastanjerups.

Als ik het doosje openmaak, zie ik dat er nieuwe woorden bij zitten. Met allemaal vraagtekens. Alsof hij aan mij wil vragen of het de goede woorden zijn:

Kijken?
Veel zien?
Dingen maken?
Thuis is de stad?
Verzorgen?
Beschermen?
Alleen?

De woorden passen precies bij mij! Hoe weet hij dat zo goed?

Dan zie ik ook nog een opgerold stukje papier in het doosje. Ik rol het open en lees: 'Woord van de dag: dwarrelen?'

Dwarrelen? Wat bedoelt hij daar nou mee?

Als je het niet zelf hebt verzonnen, is zo'n kaal woord op een briefje best raar.

'Dwarrelen.'

'Dwarrelen.'

'Dwarrelen.'

Ik zeg het een paar keer achter elkaar, maar zo wordt het alleen maar raarder.

Dan kijk ik om me heen en onmiddellijk kan ik me wel voor mijn hoofd slaan. Tussen de takken van de grote eik vliegt een merel weg en ik zie hoe een dor blad langzaam naar beneden dwarrelt.

Ja, 'dwarrelen' is vandaag absoluut het woord!

Ik weet wat. Tussen de struiken zoek ik een leeg sigaretten-pakje en ik schrijf erop: 'Woorden Vriend'. Ik scheur repen papier uit een schrift en probeer te bedenken welke woorden bij hem passen.

'Houtvuur?' schrijf ik op, en: 'Zwerver?' Meer weet ik even niet. Ik kijk naar de woorden in mijn eigen doosje. Dan schrijf ik ook nog op: 'Alleen?', 'Dieren?' en 'Dingen maken?'

Zo, de rest moet hij zelf maar opschrijven.

Ik leg het nieuwe woordendoosje van Vriend naast het mijne in het gat achter de tralies.

De bierblikjes en flesjes onderbreken hun wedstrijd. Ze kijken naar die twee woordendoosjes onder hun bladerendeken in de hoek.

16.

Iedere dag loop ik langs al mijn afvaltuintjes.

De kappersboom met de haarelastiekjes bij de Drukke Gracht kent Vriend nog steeds niet. En ook in de andere afvaltuintjes ligt niets. Er zijn geen nieuwe kastanjedieren, er zit niets in zijn woordendoosje en er ligt ook nergens iets anders.

Om gek van te worden.

Dus heb ik vanmorgen de lege opschrijfboekjes geteld die ik van Jill heb gekregen. Vijf. Ik ga ze overal neerleggen, met een potlood ernaast. Dan heb ik meer kans dat hij ten minste in één ervan iets schrijft.

Onderweg zie ik mannen die een overgelopen put leegpompen. Gisteren heeft het lang geregend en de bladeren zorgen overal voor verstoppingen. De ene man duwt een enorme slang in de put. De ander drukt op een knop boven op hun vrachtwagen.

Pfoeh! Dat stinkt! Ik ruik het vanaf hier. Dat zijn vast niet alleen rotte bladeren.

Waarom doen eigenlijk altijd mannen dit soort werk?

Met het laatste opschrijfboekje loop ik over het pad achter het Museum met het Rotte Schip. Terwijl ik nog loop, zie ik het al.

Er ligt een oud boek tussen de bierblikjes.

Ik ren erheen, pak het op en lees de titel: *Een ongelijke strijd.*

Het ruikt beschimmeld, alsof het lang in een vochtige kelder heeft gelegen. Naast het boek ligt een maantje. Van ijzerdraad. Heeft Vriend die voor mij neergelegd? Wauw!

Maar waarom legt hij een boek voor me neer?

Misschien zijn het zijn lievelingsavonturen en hoopt hij dat ik ze ook spannend vind. Nee, het ziet er eigenlijk meer uit als een grotemensenboek.

Ik pak het boek en het maantje en neem ze mee naar de bank bij de speeltuin. Nu ligt het als een geheimzinnige schat op mijn schoot.

Als ik de eerste bladzijde wil omslaan, voel ik dat ik word bekeken. Van onder mijn pet gluur ik om me heen. Verderop is een man zijn hond aan het uitlaten. Misschien is dat Vriend en wil hij zien wat ik van zijn boek vind.

Maar de man roept vrolijk: 'Is dat mijn vroegere pet niet? Je hebt er wel wat moois van gemaakt, zeg!'

Ik kijk op. Dan herken ik hem, al zit zijn haar anders dan toen hij me de pet gaf. 'Ik hoef hem niet meer,' zei hij.

We bevonden ons op precies dezelfde plek als nu. 'Mijn vrienden lachen me de hele tijd uit, omdat hij roze is,' zei hij. 'Ook al weten ze best dat het een echte pet van de Giro d'Italia is. Hoe vaak komen die beroemde wielrenners nou naar deze stad! Maar ik ben dat gezeur zat. Wil jij hem niet? Roze is echt wat voor meiden.'

De man drong zo aan.

Bij Jill heb ik meteen een spuitbus geleend en de hele pet zwart gemaakt. Nu is het de fijnste pet die er is.

'Nou, je zegt nog altijd niet veel,' roept de man terwijl zijn hond hem meetrekt. 'Dag, dan maar. Tot ziens!'

Al tien minuten zit ik naar de foto achter op het boek te staren. Ik heb eerst geprobeerd de tekst te lezen, maar ik snap er niets van. Helemaal niets.

'Floriaan Biessel' staat er onder de foto. Zou hij het zijn? Zou Vriend een boek hebben geschreven en het voor mij hebben neergelegd, zodat ik weet wie hij is?

De man op de foto is ouder dan pa. Hij heeft volle wangen, dik rossig haar en overal kleine sproeten. Zijn vriendelijke ogen kijken een beetje verbaasd. Ik vind hem meteen aardig.

In het boek zit een boekenlegger.

'De Uil – Boekhandel/Antiquariaat' staat erop.

Daar ben ik wel eens langsgelopen. Misschien dat ze me daar meer kunnen vertellen.

 54

17.

Liefst ga ik geen winkels binnen. Liefst blijf ik buiten. Buiten kan ik altijd doorlopen als er iemand naar me kijkt of iets tegen me wil zeggen.

Voor de zekerheid lees ik nog een keer de naam op de enorme glazen ruit. Ja, 'De Uil' staat er.

Vanaf de straat probeer ik te zien of er veel mensen binnen zijn. Er zit alleen een dikke man aan een tafel te lezen, met een glas thee voor zijn neus. Voordat ik weer begin te twijfelen, pak ik snel de deurknop vast.

De deur maakt een vriendelijk klingelgeluid. Daardoor hoor je één seconde de klassieke muziek nog niet, die zacht in de winkel klinkt.

De man aan de tafel haalt zijn bril van zijn neus en kijkt op. Vanaf zijn hoofd springt zijn grijze haar piekerig alle kanten op. Hij draagt een geruit overhemd met daaroverheen een blauw wollen vestje. De knopen staan strakgespannen. De man is nog dikker dan ik buiten al dacht te zien, maar hij ziet er niet uit alsof hij dat erg vindt. Hij glimlacht.

Ik twijfel of ik naar de volle toonbank bij de deur moet lopen of meteen naar de tafel. Eigenlijk lijkt het helemaal geen echte winkel, meer een lange huiskamer met honderdduizend boeken.

Omdat de man niet opstaat, loop ik naar de tafel. Ik leg het boek erop.

De dikke man zet zijn bril weer op zijn neus. 'Ah, het boek! Ik was het al kwijt.'

Hij werpt er alleen een korte blik op en kijkt me dan aan. 'Kopen of terugbrengen?' vraagt hij met een lachje.

Ik aarzel.

Maar ik moet wel iets zeggen.

'Terugbrengen,' besluit ik dan.

'Zo,' zegt hij peinzend.

Ik duw het boek nog wat meer zijn richting op. Misschien snapt hij het vanzelf.

'Dat is dan beslist de eerste keer.'

Langzaam verschijnt er een glimlach om zijn mond. 'Had onze vriend het dus alleen even geleend?'

Ik weet niet wat ik daarop moet zeggen. De man wacht geduldig.

De vloer is helemaal van hout. Aan de zijkanten is hij donker en in het midden flink uitgesleten door het lopen. Ik mis de buitenlucht nu al en vind de geur van stoffig papier ineens verschrikkelijk.

Waarom ren ik niet snel weg?

'Ga zitten,' zegt de man.

Naast zich schuift hij een stoel een eindje van de tafel. 'Ik ben Michiel, en jij?'

Als ik op de stoel zit, wijs ik naar de foto achter op het boek en breng eindelijk uit: 'Wie is hij? Ik bedoel, dit is hem toch? Floriaan Biessel?'

Michiel kijkt me verwonderd aan. 'Heb je hem dan niet gesproken?'

Ik schud mijn hoofd.

'Natuurlijk heb je hem niet gesproken!' roept hij uit. 'Hoe kon ik dat ook denken? Hier komt hij ook alleen maar binnen als ik even in de kelder ben om iets op te ruimen. Dan zoekt hij snel een boek uit en rent ermee weg. Floriaan houdt niet van mensen. Zelfs niet van een stille boekhandelaar als ik.'

Zo had ik me Vriend ook voorgesteld, bedenk ik. Hij en ik lijken op elkaar.

'Maar hij betaalt wel altijd, hoor,' zegt Michiel. 'Alleen niet met geld.'

Hij wijst op een smalle plank die over de hele lengte van de muur boven de boekenkasten is geschroefd, vlak onder het plafond.

Nu zie ik ze. Kleine figuren van ijzerdraad: een kat, een muis, een hond, een kip, een krokodil, een giraf, een paard... Mooi, maar niet zo mooi als onze kastanjedieren.

'Eens raden,' zegt Michiel en hij kijkt me van onder zijn bril slim aan. 'Floriaan heeft je het boek laten zien om te laten weten wie hij is. Heb ik gelijk of niet?'

Ik knik. 'Maar ik weet nu alleen zijn naam. Niet wie hij is.'

'O,' zegt Michiel. 'Dus van het boek heb je weinig gesnapt?'

'Helemaal niets.'

'Tja, het is ook behoorlijk ingewikkeld.'

Hij zucht diep en legt zijn handen op zijn buik. 'Wat vervelend voor je. Juist nu je hoopte Floriaan te leren kennen!'

Even denk ik al dat ik nooit zal weten wie Floriaan is, maar dan zegt Michiel: 'Een prima plan dus, om bij mij langs te komen! Ik zal je vertellen wat ik over hem weet.'

18.

58 Michiel staat op en loopt naar een kast waar hij een schoon glas uit haalt. Dan schenkt hij ook voor mij een glas thee in. Hij opent een met bloemen versierde koektrommel. 'Hier, neem er een stuk speculaas bij.'

Even vergeet ik dat ik moet opletten. Ik prop de speculaas zo gulzig in mijn mond dat Michiel me verbaasd aanstaart.

'Heb je honger?' vraagt hij.

Ik durf niets te zeggen en schud alleen mijn hoofd.

Hij zucht: 'Dat is jammer, want ik heb nog een boterham over en hoopte dat jij die wel wilde.'

Weer schud ik mijn hoofd.

'Anders moet ik hem tot morgen bewaren. Dan is hij niet lekker meer. En eten weggooien vind ik nog erger dan oud brood eten. Wil je me echt niet helpen? Nu hij nog lekker is?'

'Oké,' zeg ik en ik neem de boterham van hem aan.

Deze keer let ik erop dat ik kleine hapjes neem en tussendoor telkens even wacht. Het smaakt heerlijk. Er zit komijnekaas op met jam, wat ik nog nooit heb gegeten. Ik zou het aan Jill moeten laten proeven.

'Floriaan is een held,' zegt Michiel en hij wijst op het boek. 'Helaas wel een tragische held. Want er zijn allerlei mensen die helemaal niet willen dat hij een held is en die hem al jarenlang ontzettend tegenwerken.'

'Gaat het boek daarover?' vraag ik.

'Ja. Het is niet dóór Floriaan geschreven, maar óver Floriaan. Door een journalist. Die heeft alles uitgezocht wat er de afgelopen jaren is gebeurd.

Het begon allemaal toen Floriaan bij het leger werkte. Op een dag moest hij van zijn baas een vervelende boodschap aan iemand gaan brengen. Hij moest mevrouw Aalberg vertellen dat haar man was gedood door een landmijn. Dat is een bom die in de grond wordt begraven en ontploft als je erop stapt. Floriaan moest zeggen dat het de eigen schuld van meneer Aalberg was geweest. Maar hij kon niet geloven dat dit waar was.'

Michiel kijkt me aan, ziet dat ik de boterham op heb en schuift er nog een naar me toe.

'En? Was het toch waar?'

'Dat wist Floriaan toen nog niet zeker. Hij ging naar mevrouw Aalberg, vertelde het verschrikkelijke nieuws en beloofde haar dat hij alles zou uitzoeken.

Al snel ontdekte hij dat er al zeven soldaten door die landmijn waren overleden. Erger nog, sommige mensen in het leger bleken al jaren te weten dat die bom niet deugde. Floriaan vertelde het zijn baas en toen ging het vreselijk mis.

Je zou denken dat de baas hem bedankte dat hij het zo goed had uitgezocht. Dat ze die landmijnen niet meer gingen gebruiken en er niemand meer per ongeluk zou doodgaan. Maar in plaats daarvan zorgde zijn baas ervoor dat Floriaan werd ontslagen.'

'Waarom dan?'

Lange tijd kijkt Michiel me peinzend aan. Dan haalt hij zijn schouders op. 'Wat snap ik nou van dat soort onzin? Ja, de journalist begrijpt het misschien, die heeft het allemaal onderzocht en schreef er dit boek over. Maar toen was het Floriaan al te veel geworden. Jarenlang had hij alle rechtszaken tegen het leger en de staat verloren. Toen zijn vrouw zich van hem liet scheiden, besloot hij te verdwijnen.'

'En werd hij toen zwerver?'

Michiel knikt.

Ik snap Floriaan wel. Als je alles hebt geprobeerd maar iedereen werkt je tegen, dan is het fijner om op straat te leven.

19.

'Moet je niet naar huis?' vraagt Michiel en hij wijst naar de klok. 'Het is al laat en ik moet zo sluiten. Kom, help me maar even. Dan zetten we de glazen in de gootsteen achter in de winkel.'

Ik loop achter Michiel aan en spoel de glazen voor hem af. Daarna lopen we naar de volle toonbank, waar hij een tik geeft op een van de knoppen van de antieke kassa. Hij haalt de geld-la eruit en verstopt die achter een stapel boeken.

Op dat moment zie ik boven op een berg vergeelde tijd-schriften een klein boekje liggen. Er staat een figuur met vleugels op het omslag. Het is geen mooie tekening, maar ik begrijp degene die haar heeft gemaakt heel goed. De engelfi-guur is geschilderd in alle kleuren van de regenboog en heeft vier vleugels. Alsof engelen altijd anders zijn dan we denken.

Michiel ziet me kijken. 'Ach, neem maar mee. Minstens tien mensen hebben het deze week opgepakt en weer terug-gelegd. Er is toch niemand die het koopt.'

Ik pak het boekje op en strijk met mijn vingers over de vleu-gels op de kaft. Met zulke vleugels vlieg je waar je maar heen wilt.

Michiel lacht: 'Denk maar aan me als je een keer de loterij wint.'

Met een dreun kom ik op de grond. Aan ma denken is wel het laatste wat ik nu wil.

'Ik gok niet!' roep ik veel te hard. En ik herinner me maar net op tijd mijn besluit om nooit te huilen. Het boekje heb ik al teruggelegd.

Beteuterd zegt hij: 'Och meisje, het is maar een uitdruk-king. Ik bedoel er verder niks mee. Neem dat boekje nou mee. Alsjeblieft.'

Als ik buiten sta en Michiel zie wegrijden op zijn oude zwarte fiets, voel ik me vreemd.

Zou Floriaan net als ik blij zijn als hij door de stad loopt en als hij van ijzerdraad dieren of zonnetjes en maantjes maakt? Of zou hij stiekem terug willen naar zijn eerdere leven, met zijn vrouw en zijn huis en dat die lelijke mensen van het leger sorry zeggen en weer aardig doen?

Hij is vast graag alleen, net als ik. Maar misschien wil hij ook wel een vriend. Niet om mee te praten, want daar houdt hij niet van. Natuurlijk niet. Maar om samen dingen te bekijken. Of ergens naar te luisteren. Of een nieuwe smaak te proeven.

Jill! bedenk ik. Ik moet haar vertellen over Floriaan. Zij weet vast hoe het nu verder moet.

Maar het is al zo laat. Ik kan beter naar huis gaan. Ook al heb ik geen zin.

20.

Zo zacht als ik kan trek ik het gordijn van mijn slaapkamer dicht. De rolletjes mogen niet piepen als ze over de rails schuiven. Maar ik weet precies hoe het moet en vind het niet erg als het lang duurt. Dan denk ik intussen gewoon nog wat aan Floriaan. Misschien kunnen we elkaar wel een keer zien. In het echt. Als ik durf.

Jammer dat ik mijn rugzak niet in mijn kamer kan bewaren. Anders had ik graag nog in het engelenboekje gelezen. De laatste tijd verberg ik mijn rugzak steeds onder de stapel oude planken die op het dak van ons schuurtje liggen. Het is al de derde plek die ik heb bedacht. Want steeds ben ik bang dat ma hem ontdekt.

Even kijk ik langs het gordijn naar buiten om te zien of mijn verstopplaats wel goed genoeg is. Voor de zekerheid.

Ik zie iets bewegen. Niet op het dak, maar achter onze tuin in een van de huizen. Daar staat iemand door een bovenraam naar me te kijken.

Jakkes, het is Bloem.

Ze heeft een nieuwe pet op. Zo te zien donkerblauw of zwart.

Wat doet ze nou? Ze pakt iets en houdt het in haar handen voor haar ogen. Is het een verrekijker? Ja, nu zie ik het.

Hoe komt ze daaraan?

Ik zwaai.

Liever zou ik me achter het gordijn verstoppen, maar ze heeft me waarschijnlijk toch al ontdekt.

Bloem zwaait niet terug.

Daar snap ik niets van. Waarom zou ze naar mij staan kijken en niet eens terugzwaaien?

Dan zie ik dat ze haar verrekijker een beetje naar beneden heeft gericht, op onze keuken.

Ze kijkt naar pa en ma!

En ineens is het alsof mijn oren open ploppen nadat ze lang onder water zijn geweest.

Nu hoor ik het. Ik hoor het geschreeuw van pa. Het gaat over geld, geloof ik. Ma huilt. Of nee, ze krijst. Ze schopt tegen de keukenkastjes en krijgt een klap. Nog harder krijst ze nu en scheldt hem uit. De ramen trillen.

Meteen doe ik mijn oren vanbinnen weer dicht. Dan hoor ik niet meer de woorden, alleen nog het geluid. En geluid betekent niets.

Toch hijg ik.

Het is zo moeilijk niet te denken aan de Grote Ruzie vorig jaar. Toen pa zo hard sloeg dat ma een week op bed lag.

Ik moet snel iets doen.

Gelukkig heb ik een kastanje in mijn broekzak. Ik probeer iets nieuws, stop hem in mijn mond en zuig erop.

Best lekker. Mijn mond is een enorme zee waarin een eiland drijft met allemaal schatten.

Het werkt. Langzaam word ik weer rustig.

En van beneden hoor ik gelukkig ook niets meer.

Maar Bloem is gestoord. Vreselijk gestoord.

21.

Als een hond snuif ik met mijn neus in de lucht. Vandaag is het moeilijk het woord te vinden. Zelfs op dit stuk van de Drukke Gracht is het rustig. Er zijn nog geen bestelbussen die pakketjes naar de winkels brengen en er zijn maar weinig mensen.

Misschien dat ik eerst even langs mijn kappersboom met de haarelastiekjes ga.

Jammer. Floriaan heeft dit tuintje nog steeds niet ontdekt. Of vindt hij het niet bijzonder genoeg?

Ik zoek in mijn zakken en haal er de negen nieuwe elastiekjes uit die ik gisteren heb gevonden. Ik hang ze aan de takken. Dit moet Floriaan toch wel mooi vinden.

In Jills straat is het nog stiller dan op de Gracht. 'Stil' besluit ik. Dat moet het woord dan maar zijn.

Vreemd. Jill is niet in haar werfkelder. Dan heeft ze vast een schilderij af en is ze 'opnieuw aan het ontdekken wie Jill eigenlijk is'.

Zo zegt ze dat toch altijd?

Ze kan dus echt overal in de stad zijn. Of zelfs op vakantie, ergens ver weg waar iedere dag de zon schijnt. Jills vakanties duren nooit langer dan een week, want daarna wil ze weer terug. Naar een nieuw schilderij. 'En naar jou,' zegt ze dan lachend, terwijl ze me zo onhandig knuffelt dat ik mijn botten voel.

Ik houd er niet van als mensen aan me zitten, maar met Jill is het oké.

Als ze op vakantie is, moet ik misschien wel een week wachten tot ik haar kan vertellen over Floriaan.

Ik klim de trap weer op, voorzichtig, want de treden zijn vaak glad. Schuin onder me op de gracht hoor ik mannen praten. Hun stemmen kaatsen tegen de muren van de kelders en de huizen omhoog. Het klinkt raar, alsof ze in de mist praten. Of nee, alsof ze in een kijkdoos zitten. Mijn oor ligt op het deksel. Ik vind dat leuk: mannen die in mijn kijkdoos op de gracht varen.

Ik draai me om en ga op een tree zitten. Mijn broek wordt zo wel nat, maar dat geeft niet. Ik ga hem toch morgen wassen.

De mannen staan op een platte boot die van onder de brug mijn kant op komt. Boven op de boot ligt een berg modderige fietsen. De mannen praten. Over iemand die ze allebei kennen en allebei dom vinden. Ze moeten erom lachen.

Ze leggen de boot stil tegen de kade. Een van de twee draait een sigaret, terwijl de ander de grote grijper in het water laat zakken die voor op de boot staat. Hij roert een tijd met de grijper door het water, tot hij zegt: 'Ik heb er één.'

De grijper trekt een druipende fiets omhoog. Er ontbreekt een wiel, maar verder is hij nog helemaal heel. Hij zit alleen onder de roestplekken en grijsgroene moddervegen.

De mannen pakken met zijn tweeën de fiets uit de grijper en slingeren hem op de berg.

Hoe zouden al die fietsen in de gracht zijn gekomen? Ik heb al veel dingen gezien die zomaar werden weggegooid. Maar nog nooit fietsen.

Ineens moet ik lachen. Dat zou wat zijn, een afvaltuintje met oude modderige fietsen. Dat zou Floriaan vast ook leuk vinden.

Ik moet er nog steeds aan wennen dat hij dus Floriaan heet. Geen Vriend, maar Floriaan. Floriaan Biessel.

Een van de mannen heeft me gezien. Het is tijd om verder te gaan. Straks begint hij nog tegen me te praten. Dat doen mensen altijd, als ze zien dat je naar ze kijkt.

Te laat.

'Ha meissie, kijk je of er nog iets moois tussen zit?' Ze proesten van de lach.

Snel zet ik mijn pet recht, stap op de laatste trede van de trap en glijd bijna uit.

Net als ik de straat uit wil lopen, zie ik dat er licht brandt in Jills huis.

22.

Jill heeft pretogen. Dan heeft ze lichte vlekjes in haar pupil-
len. En haar ooghoeken trekken tot rimpeltjes; precies de
pootafdrukken van een kleine gans in het zand.

We staan in haar serre. Op de glazen tafel ligt een blad met
toastjes, kaas, olijven, dadels en water met limoen. Er is nog
heel veel over, zie ik.

Jill kijkt verrukt naar een kale donkere man die push-ups
doet naast de bank. Iedere keer als hij zich opdrukt, telt hij
in een vreemde taal. Boven zijn broek heeft hij niets aan en
daardoor zie je hoe gespierd hij is.

'Mooi hè?' zegt Jill. 'Hij komt uit Afrika. Hij heet Bai.'

Ze streelt over zijn bezwete rug, terwijl hij onverstoorbaar
verder telt. Aandachtig likt ze wat zweet van haar vinger en
proeft. 'Hm, interessant.'

Dan haalt ze haar vinger nog eens langs Bai's rug en houdt
hem voor mijn mond. 'Ik had deze keer geen nieuwe smaak
voor je, maar dit ken je vast nog niet.'

Meteen doe ik een stap achteruit.

Ze schatert van het lachen om mijn vieze gezicht.

Bai telt alleen maar.

'Lieve Bai,' fluistert Jill, geknield naast zijn oor. 'Wist je dat
je naar walnoten smaakt?'

Ik snap het niet. Jill houdt niet van mensen, ze is precies als
ik. En nu logeert die Bai bij haar. Jill is aan het veranderen. Net
nu ik met haar wil praten over Floriaan.

Jill geeft me een toastje met kaas.

Als Bai klaar is met zijn push-ups, pakt hij zijn bril van de
glazen tafel en zet hem op. Met een enorme glimlach naar mij
zegt hij: *Enough for today!*

Ik begrijp niet precies wat hij bedoelt, maar Jill legt uit dat hij klaar is.

Uit zijn broekzak haalt Bai een oud kaartspel. Hij schudt de kaarten en vraagt me er één uit te trekken.

Hij gebaart dat ik de kaart niet aan hem mag laten zien en goed moet onthouden. Het is een schoppen acht.

Dan kijkt hij de andere kant op en houdt de stapel voor mijn neus, zodat ik de kaart er weer tussen kan steken. Hij maakt drie verschillende stapeltjes. Nadat hij de stapeltjes een paar keer van plek heeft laten verwisselen, tovert hij uit het middelste ineens mijn schoppen acht tevoorschijn.

Jill en Bai moeten ontzettend lachen om mijn verbaasde gezicht.

Ongelooflijk! Hoe deed hij dat? Dat wil ik ook kunnen.

'*Real magic!*' roept Bai. '*More?*'

Dat snap ik wel. Hij vraagt of ik nog meer spelletjes wil doen. Ik knik.

Jill geeft ons nog meer toastjes, dadels en olijven.

Bai kent echt enorm veel goede kaarttrucs!

Hij maakt ook steeds allerlei grappen. Het is niet erg dat ik ze niet begrijp, want het is al leuk hoe hij bulderend lacht. Dan lach je vanzelf mee. En zijn handen grabbelen tijdens de trucs in de lucht, alsof hij vuurvliegjes vangt.

Als alle toastjes op zijn, doet Bai zijn overhemd en een jasje aan en kijkt vragend naar Jill.

'Heb je zin om mee te gaan naar de kunstenaarswinkel?' vraagt ze aan mij. 'Bai en ik hebben nieuwe verf en penselen nodig.'

Ik kijk naar die gespierde Bai en probeer me voor te stellen dat hij een schilder is. 'Schildert hij ook?'

'Nee, ik restaureer oude schilderijen en Bai schildert. Dat is echt totaal iets anders.'

Even twijfel ik.

Dan denk ik ineens weer aan Floriaan. Onmogelijk dat ik nu met Jill over hem kan praten. Bai is grappig, maar ik heb liever dat hij er niet bij is.

'Een andere keer misschien,' zeg ik.

Nadat Bai me een high five heeft gegeven, pak ik mijn jas en ga naar buiten.

23.

70

Ik kijk in het modderige water. Een eind verderop zijn de mannen nog steeds bezig met hun fietsen. Lopen moet ik. Goed lang lopen. En nadenken.

Ik wil iets zeggen tegen Floriaan. Ik wil dat hij weet dat ik zijn boek heb gevonden. Dat ik begrijp wie hij is en hem wil helpen.

Nou ja, dat is natuurlijk stom. Waarmee zou ik hem kunnen helpen? Ik snapte dat boek al niet eens.

Ik denk aan Floriaan bij zijn houtvuur. De hele dag heeft hij gelopen en gezocht naar stukjes ijzerdraad. En 's avonds bij het vuur werkt hij aan zijn diertjes. Hij woont vast ergens aan de rand van de stad. In zijn auto of zo. Daarin liggen ook al zijn spullen. Dan hoeft hij niet met plastic tassen te slepen zoals andere zwervers. De auto rijdt niet meer, maar soms als hij zin heeft, zet Floriaan even de koplampen aan. Om ze te laten schijnen op het weiland. En dan lacht hij om de verbaasde konijnen.

In mijn zak voel ik of het zonnetje en het maantje er nog zitten. Ik klem ze in mijn handen. Ze prikken. IJzerdraad! Dat is het, ik ga ijzerdraad voor hem zoeken.

Hier buiten de stad kom ik bijna nooit. Al kijk ik graag naar de grote woonboten in het kanaal. Zo'n huis op het water wil ik later ook. Lekker een tijdje in je boothuis wonen en op een dag wegvaren als je daar zin in hebt. En dan ga je weer ergens anders liggen. In een andere stad of in het dorp van de opa en oma.

Aan de overkant van het kanaal zijn werkplaatsen. Daar hebben ze vast ijzerdraad.

Een man ziet me staan en vraagt wat ik kom doen. Ik kijk naar mijn schoenen, die er al lang niet meer nieuw uitzien.

'IJzerdraad,' zeg ik zacht, terwijl ik mijn pet recht zet.

'Wat?' vraagt de man.

Het lukt me niet om het te herhalen.

Maar hij heeft me kennelijk toch verstaan. 'IJzerdraad? En je dacht dat wij dat wel hier voor je hebben? Nou, meisje, wij zijn geen bouwmarkt. Ga daar maar heen. Dan kun je het kopen. Wij moeten er ook voor betalen hoor.'

Dat hij voor één woord van mij er zoveel terug kan geven!

'Wat is er, Harm?' vraagt een oudere man die komt aanlopen.

'Het wordt steeds gekker met die kinderen,' zegt Harm. 'Of we ijzerdraad hebben!'

'Ach kerel, doe niet zo moeilijk. Geef die meid toch een rol! We gebruiken het nooit.'

Harm loopt weg. Maar de oudere man gebaart me hem te volgen.

'Koffie?' vraagt hij als we in een enorme loods staan.

Ik schud mijn hoofd.

Uit een hoek pakt hij een rol ijzerdraad. Dan ziet hij me kijken naar het schaaltje bij de receptie en lacht. 'Ja, neem die ook maar mee. Wij worden er toch te dik van.'

Als ik weer buiten sta kan ik het niet geloven. Een grote rol ijzerdraad en zes Snickers!

Onderweg terug naar de stad blijf ik ineens staan. Hier. Hier was het! Aan de voet van die boom heb ik ze begraven; de woordendoosjes van pa en ma. Vlak bij waar de singelkades weer mooi nieuw werden gemaakt.

Ik kan die woordendoosjes best opgraven en aan Floriaan laten zien. Ze zijn eigenlijk net zoiets als Floriaans boek. Hij zal dat snappen. Juist hij.

Uit mijn rugzak pak ik mijn schep en graaf de doosjes op. Het gekleurde papier is losgelaten. 'Roken is dodelijk' komt er precies bij het doosje van ma tevoorschijn. Ik probeer het papier er weer overheen te schuiven. Maar ik kan er straks beter een nieuw vel op plakken.

Waar zal ik de doosjes en het ijzerdraad neerleggen? Het moet een plek zijn waar de spullen niet opvallen. Misschien bij de Sterrenburg? Naast de muur met mijn afvaltuintje van pennen en batterijen is nog een muur. Die heeft aan de onderkant fijne openingen waar je iets in kunt leggen. Er komt nooit iemand.

Als ik de woordendoosjes van pa en ma naast de rol ijzerdraad en drie van mijn zes Snickers wil leggen, aarzel ik. Zal ik hun woorden nog eens lezen?

Nee. Ik kijk wel uit, ze zijn lelijk.

Ik heb niet voor niets besloten ze te begraven. Alleen als ik ze wegstop, heb ik ruimte in mijn hoofd voor mijn eigen woorden.

Naast de kastanjerups leg ik een briefje:

Meneer Floriaan,

Drie verrassingen voor jou. Kijk aan de zijkant van de muur waar de batterijen tegen de pennen vechten.

Ros

24.

De thee is nog te heet om te drinken, maar mijn handen warmen zich aan het glas. Ik snuif de geur op van kaneel en van nog iets, wat ik niet ken. Michiel heeft me zojuist het boek over Floriaan teruggegeven. Hij zegt dat hij heel goed snapt dat ik af en toe naar Floriaans foto op de achterkant wil kijken.

Even twijfel ik of ik Michiel zal vertellen over mijn afvaltuintjes en de kastanjedieren.

Maar ik krijg er de kans niet voor. Uit zijn bureaula haalt hij een bundel papieren. 'Hier. Misschien moet je die dan ook maar een tijdje lenen.'

Ik wikkel het lint eraf en kijk naar de losse vellen. Op het bovenste staat 'Wie is Floriaan?'

'Het stelt niet veel voor, hoor,' zegt Michiel. 'Maar weet je, Ros, als iemand zoals Floriaan steeds je winkel in komt, niks tegen je zegt en kleine ijzerdraad-kunstwerken achterlaat, dan ga je vanzelf fantaseren over wie hij is. Tenminste, ik heb dat wel gedaan.'

Terwijl ik al lees, zegt Michiel nog: 'Ik hoop dat je me nu niet gek vindt.'

Ik kijk op.

Dan lacht hij: 'Nou ja, wat doet het er ook toe.'

Hij gebruikt een heel klein hoekje van het enorme weiland. Precies daar waar de tractor niet bij kan, omdat die er altijd moet keren. De boer vindt het goed. Toen hij het ontdekte, stonden ze elkaar een minuut lang strak aan te kijken. Tot de boer zijn schouders ophaalde en zich omdraaide.

Floriaan heeft er sla gepoot en andijvie. En er staan bietjes, rodekool en wat aardappels. Eén van de kolen heeft hij als dank naast de

wasmand van de boerin gelegd. De volgende dag liggen er brood en
verse melk voor in de plaats.

    Wanneer hij zich bukt om het laatste onkruid te wieden, ziet hij
dat de konijnen vannacht weer aan zijn sla hebben geknabbeld. Er
verschijnt een glimlach in zijn rossig-grijze stoppelbaard. Hij houdt
van konijnen, zelfs als ze zijn sla opeten.

'Yes!' roep ik. 'Dat heb ik ook gedacht! Dat Floriaan van konijnen houdt.'

    Michiel moet daar ontzettend om lachen. Zijn vestje veert vrolijk omhoog op zijn ronde buik. 'Dan zal het vast ook wel zo zijn,' zegt hij uiteindelijk.

    We drinken onze thee en ik besluit Michiel te vertellen over mijn afvaltuintjes. En dat Floriaan ze bijna allemaal kent en er kastanjedieren heeft neergelegd.

    'Nou, Ros,' zegt Michiel na een tijdje. 'Het is geweldig als je een vriend als Floriaan hebt.'

25.

Ik heb zin om op de steiger te gaan zitten, tussen het geritsel van de bierdopslingers die ik aan de drieëntwintig palen heb gehangen. Het is precies de goede plek om nog wat van Michiels blaadjes te lezen. Voor de zekerheid houd ik ze met twee handen vast, want ze mogen niet wegwaaien.

Boven het tweede vel staat: 'Floriaan, ging het ongeveer zo?'

Die zin is een beetje raar. Dus ben ik blij dat Michiel me nog wat meer heeft uitgelegd.

'Wat me heeft verbaasd, Ros,' zei hij, 'is hoe Floriaan juist bij het leger terechtkwam. Als maatschappelijk werker kon hij uit wel honderd verschillende banen kiezen. Waarom ging hij dan juist bij die stoere mannen werken? Ik heb wel eens gedacht dat hij zichzelf op de proef wilde stellen. Dat hij wilde kijken of hij in hun wereld kon overleven. Of hoopte hij zelfs dat hij die wereld een beetje kon veranderen?'

Het is zijn eerste werkdag, 2 januari lang geleden. Hij rijdt in zijn auto over de lange oprijlaan van het militaire terrein. Het is koud, maar een heldere zon schijnt op de bomen en maakt scherpe, uitgerekte schaduwen over de weg. Halverwege zet hij de motor af en blijft een moment zo zitten. Straks zal hij weten hoe het is, maar nu wil hij het onbekende nog even laten duren.

Later wordt hij voorgesteld aan tientallen mensen, die hem op zijn schouders slaan, grappen maken en koffie aanbieden, de hele dag door. Iemand heeft verjaardagsgebak meegenomen en vloekt overdreven omdat een ander oliebollen bij zich heeft en er ook nog champagne en toastjes zijn. Nou ja, dan geven we het aan die nieuwe.

's Avonds brengt hij een grote doos lekkers mee voor zijn vrouw. Zoveel nieuwe vrienden in één dag.

Ik draai het blaadje om. Er staat iets achterop gekrabbeld, in bibberige potloodletters.

'Inderdaad,' lees ik. 'Het is dan wel niet helemaal zo gebeurd, maar het is toch alsof het mijn eigen herinneringen zijn. Wat knap!'

Snap ik het goed? Heeft Michiel zijn blaadjes aan Floriaan laten lezen? En heeft Floriaan er toen iets bij geschreven?

Snel draai ik de hele stapel om en kijk of er op de andere vellen ook bibberige potloodletters staan.

Niets, behalve op één blaadje. Daar staat:

Beste Michiel,

Deze schetsen zijn zo'n groot cadeau! Alleen kan ik er nu niet voor zorgen. Helaas kan ik nergens meer voor zorgen. Bewaar ze alsjeblieft voor me.

Floriaan

Ik strijk met mijn vingertoppen over de potloodletters.

Nu mag ik deze blaadjes dus een tijdje lenen! Al kan ik er eigenlijk ook niet voor zorgen, want thuis kan ik ze nergens neerleggen. Ik moet ze in mijn rugzak laten zitten en die op mijn geheime plek op de schuur leggen. Daar kunnen pa en ma ze niet vinden.

Ik draai het papier weer om en zie dat het ook over Floriaans werk gaat.

Zijn werkkamer is in een kleine barak, die er pasgeleden is neergezet. Alles ruikt nog naar vers gezaagde planken. 'Biessel, je hebt geen idee hoe hard wij groeien,' zegt zijn baas. 'Ik ben blij dat je aan boord bent. En dat ik zelf niet hoef te praten met die slapjanussen die nergens tegen kunnen.'

Zijn eerste werkgesprek is met een achttienjarige soldaat. Hij is geschrokken van vuurwerk dat onder zijn bed werd afgestoken. Grapje om hem hard te maken, zegt hij en hij begint te huilen.

Ze praten niet over de knal, maar over Friesland en over boten. Over je handen in het water houden als de zeilen bol staan, en over alle soorten zeemansknopen die ze kennen.

Twee weken later vindt hij op zijn bureau een kleine tjalk met bruine zeilen. In de kajuit ligt een niet-afgestoken rotje waarop een lachend gezicht is getekend.

Dat Michiel dit allemaal over Floriaan heeft bedacht!

Ik pak het boek en kijk lang naar de foto op de achterkant. Ja, die vriendelijke ogen. Ik snap de jonge soldaat heel goed. Toen hij in Floriaans ogen keek, was hij gerustgesteld.

Ineens krijg ik zin ook iets te bedenken en op te schrijven. Uit mijn rugzak pak ik mijn laatste opschrijfboekje en na een tijdje heb ik staan:

Hij zit met zijn vrouw bij het raam. Buiten is het koud. Maar de voorjaarszon is warm achter het glas. Zijn vrouw heeft rode wangen. Haar ogen stralen net ze helder als die zon.

Ze zegt dat ze een baby wil. Zo'n klein mannetje met sproeten. Iemand die straks ook andere mensen helpt, net als zijn vader. Floris zal hij heten. En als hij besluit toch een meisje te zijn, is het ook goed. Dan noemen we haar Floor. Als ze maar op jou lijkt, zegt zijn vrouw.

Ik vouw mijn papier op en doe het bij die van Michiel.

Zouden zijn kinderen hem nog wel zien? Of heeft Floriaan geen kinderen?

26.

78 Ik sta op de brug. Als je de mensen die langskomen niet in de ogen kijkt, kun je er uren staan zonder dat iemand je ziet. Het is een fijne plek. Water dat onder je door kabbelt, een eend die op de kade klimt.

Kabbelen, denk ik. Dat is misschien wel het woord van de dag. Alles lijkt zo rustig vandaag, alsof niet alleen de mensen, maar ook de bomen, de dieren en het water weten dat het zondag is.

Het is koud geworden, maar ik heb er geen last van. Als je altijd buiten bent, word je er vanzelf minder gevoelig voor. Ik vul mijn wangen met extra veel lucht, blaas en zie een wolkje uit mijn mond komen. Ik doe het nog eens. En nog eens.

Jammer dat Floriaan zijn cadeaus steeds maar niet vindt. Alles lag vanmorgen nog op zijn plek.

Er klinken kinderstemmen. Ze komen uit de straat met de Dubbele Torenkerk en lopen over de brug tegenover mij. Ik tel. Eén, twee, drie, vier, vijf, zes... Daar komen er nog twee, met een vader en een moeder. En helemaal achteraan een kleine jongen met een bril die voorovergebogen loopt, alsof hij iets zoekt.

De kinderen zijn jonger dan ik. Ze doen een soort spel, maar niet heel serieus. Alleen de jongen achteraan speurt als een jachthond de grond af. Hij is nu bijna bij de anderen, omdat ze stil zijn blijven staan bij de grote kastanjeboom.

Míjn kastanjeboom bij de sterrenwacht!

Waarom moeten ze precies daarheen?

Ik verlaat de brug en loop tot bij een parkbank naast de bomen.

Ze staan met zijn allen rond een meisje met een kroon op haar hoofd, dat een stuk papier in haar hand heeft. Iedereen roept van alles door elkaar.

'Nou, jongens,' hoor ik de vader erbovenuit schreeuwen. 'Als jullie de kaart goed bekijken, dan zou het best wel eens hier in de buurt kunnen zijn.'

'Misschien niet op de grond, maar in de lucht!' roept de moeder vrolijk.

Niemand heeft haar gehoord, alleen de jongen met de bril. Hij kijkt als een bezetene naar de bomen. 'Wauw, deze boom staat hier al sinds 1838!' roept hij.

Niemand luistert.

Maar dan staat mijn hart ineens stil. Hij wijst naar de holle boom waarin mijn afvaltuintje van tennisballen met spijkers en schroeven ligt. En waar Floriaan de kastanjekikker heeft neergelegd.

'Ik heb het!' gilt de jongen uitzinnig. Nu luisteren de anderen wel. Ze gaan om hem heen staan en kijken naar zijn uitgestrekte arm.

De vader en moeder lachen naar elkaar. 'Nee,' roept de vader. 'Daar ligt de schat niet. Dat is heel iets anders. Eerder een soort kikker!'

Maar de kinderen willen toch kijken en eentje probeert of hij erbij kan.

'Dat doet me denken aan dat grappige mannetje,' zegt de vader. 'Op een dag zat er in het park zomaar ineens een mannetje op een tak. Met een piepkleine zaag probeerde hij die tak door te zagen.'

'O ja!' roept de moeder.

'Natuurlijk vroeg iedereen zich af wie dit grappige mannetje had gemaakt. Maar niemand wist het. En weet je wat de mensen toen dachten?'

Voor het eerst is iedereen even stil.

'Dat de onbekende kunstenaar onze oude koningin was.'

Meteen beginnen ze allemaal weer te roepen.

'Ik wil hem meenemen,' roept de jongen. 'Ik heb hem eerlijk gevonden.'

'Maar ik ben jarig,' zegt het meisje met de kroon. 'Het is mijn verjaardagscadeau. Van de koningin!'

De vader tilt het meisje op zodat ze bij de kikker kan. Ze kust hem op zijn kop en kijkt pesterig opzij.

Als hij ziet dat de jongen met de bril teleurgesteld wegloopt, zegt de vader tegen zijn dochter: 'Zet hem nu maar weer terug, lieverd. Deze kikker is van iemand anders. We mogen hem niet zomaar meenemen.'

'Maar ik wil hem houden!' roept ze boos.

'Jouw verjaardagsschat ligt hier heel dichtbij,' zegt de moeder. 'In een andere boom. Kom, we doen "wie hem het eerste ziet".'

De kinderen rennen meteen joelend in het rond en onderzoeken alle andere stammen rond de kastanjeboom.

Als ik wegloop, is het alsof mijn voeten dansen. Ik houd mijn handen in een kommetje voor mijn mond. 'Eén dankjewel van mij,' fluister ik in het kommetje, 'en ook eentje van Floriaan.' Daarna open ik mijn handen en blaas de woorden hoog de lucht in.

27.

'Heb je me gehoord, Ros?'

Ik kijk naar de handen van juf Barbara. Ze friemelen, ook nu. Haar nagels zijn vandaag niet zachtroze, maar donker-rood. Als tien druppeltjes bloed op tien bleke vingers. Speci-aal voor haar vriend. Net als haar rode lippenstift en de oor-bellen die ze van hem kreeg. Dat zeggen ze in de klas. Ze gaat hem zo ophalen bij zijn werk. Siebe vroeg of hij mee mocht. Toen moest ze lachen.

'Ros, alsjeblieft, let eens op. Het is belangrijk dat je deze aan je ouders geeft.'

Juf Barbara wappert met de envelop voor mijn neus. Hij zit dichtgeplakt.

'Het zou fijn zijn als ik een keer met je ouders kan praten. Ik heb ze meerdere keren geprobeerd te bellen.'

Ja, dat zei ze al. Ze kreeg steeds een geluid dat ze niet kende. Dan belt ze zeker nooit iemand van wie de telefoon is afgeslo-ten.

'Dus je geeft hem aan je ouders?'

Ik knik.

'Beloofd?'

Ik knik nog eens. Het is niet genoeg. Pas als ik haar aankijk laat ze me gaan.

Ze wil me een klopje op mijn schouder geven. Ik zie het net op tijd en doe een stap opzij.

Juf Barbara staat me vreemd aan te staren, dus zwaai ik maar een beetje. Ik probeer zelfs te lachen, voordat ik mijn pet opzet en naar buiten ren.

Als ik eindelijk bij de singel kom, ga ik op een parkbank zitten. Ik scheur de envelop open en lees de brief. Eén keer, twee keer. Een derde keer lukt niet. De letters trekken met hun haakjes en krullen aan mijn ogen.

Hard schud ik mijn hoofd om ze weg te jagen.

Ik moet proberen het te begrijpen.

Dat eeuwige gezeur van school over boterhammen! Denkt juf Barbara echt dat ik 's morgens boterhammen mee krijg en dat ik die weggooi omdat ik ze niet lust?

Wat weet zij nou van pa en ma en hoe die boodschappen doen!

En ik was nog wel zo slim. Ik had Jill gevraagd roggebrood voor me te kopen, dat je lang kunt bewaren. Dan kon ik dat gebruiken om mee naar school te nemen. Maar Jill vergeet het steeds.

Nu moet ik weer iets anders verzinnen.

Eén ding weet ik zeker. Juf Barbara mag nooit bij ons thuis komen. Nooit!

Ik pak mijn schep uit mijn rugzak en graaf achter de bank een kuil. Voor de zekerheid scheur ik de brief in snippers voordat ik hem onder de aarde bedek.

Dan haal ik een van de blaadjes van Michiel uit mijn rugzak. Ik ga weer iets over Floriaan lezen! Dit is echt een goed moment.

Zijn vrouw zegt tegen hem dat hij best mensen mag helpen.

Hij kijkt haar niet-begrijpend aan. Hoezo mág dat? Het gaat toch niet om mogen? Het gaat om moeten. Hij kan niet anders.

'Ik was nog niet klaar,' zegt ze als een schooljuf en ze tikt hem op zijn wang. 'Je mag best helpen, als je tenminste ook nog af en toe aan jezelf denkt. En aan mij.'

Verschrikt kijkt hij haar aan.

Vindt ze het dan erg dat hij Herman in hun bed heeft laten slapen?

Herman ligt zo in de kreukels nu zijn wereldreis is mislukt. Of vindt ze het erg dat hij hun boormachine aan de buurvrouw heeft gegeven, omdat ze die van haar man kapot had gemaakt en zij er precies zo een hebben?

Ze glimlacht. Het is goed. Voor deze keer.

Ik lach om Floriaan. En om de zon die op mijn handen schijnt.

Het wordt tijd dat Floriaan weer gaat meedoen. Het moet. Ik doe toch ook mee? Het is al veel te lang stil.

Ik ren naar de plek waar ik de woordendoosjes van pa en ma heb verstopt. Ze liggen er nog steeds, net als de rol ijzerdraad en twee Snickers. De derde heb ik gister zelf opgegeten. Als straf. Moet Floriaan maar beter zijn best doen om zijn cadeautjes te vinden.

Ik pak nog een Snickers en neem een hap.

Als ik terugloop over het pad zie ik een stuk papier liggen. Het is mijn briefje aan Floriaan! Er zit poep aan. Alsof iemand iets heeft gezocht om zijn schoen mee af te vegen en toen het briefje heeft gebruikt.

Floriaan kan dus helemaal niet weten dat ik verrassingen voor hem heb neergelegd!

Ik kijk naar het laatste stuk Snickers in mijn hand. Nee, dat kan ik niet meer terugleggen. Dat slaat nergens op.

Maar deze plek is dus hartstikke fout voor briefjes. Snel schrijf ik een nieuw briefje en loop naar mijn afvaltuintje achter het Museum met het Rotte Schip. Daar is hij het veiligst.

28.

Ineens weet ik niet meer hoe ik verder moet.

Ik kijk naar Fairouz. Ze heeft haar jasje uitgedaan en over de stoel naast haar gehangen. Haar vingers schuiven een zwarte haarlok uit haar gezicht.

Het is gek, haar handen zijn steeds met iets bezig terwijl zijzelf zo rustig is.

Graag zou ik veel minder vertellen. Dan ben ik sneller klaar en kunnen we die man met de groene gympen in de gevangenis stoppen. Maar al dat praten gaat vanzelf.

Er is zo lang niemand geweest die kon luisteren. Alleen Floriaan was er. En die was er ook best vaak niet.

Ik heb honger, nog steeds. Zonder dat ik het heb gemerkt heb ik alle chips en broodjes opgegeten.

Fairouz ziet me kijken naar de lege verpakkingen. Ze pakt haar telefoon en vraagt iemand of hij meer broodjes en een paar gevulde koeken kan komen brengen.

'Er is hier genoeg,' zegt ze tegen mij. 'En ik vind het heerlijk om jou zo te zien eten!'

We zeggen een tijd niets en wachten op de broodjes en de koeken.

Maar als er even later op de deur wordt geklopt, is het niet voor de broodjes. Het is de psycholoog.

'Dag Roswitha,' zegt hij met een brede glimlach, terwijl hij half in de deuropening blijft staan. 'Ik had beloofd dat ik nog even zou komen kijken.'

Van schrik draai ik mijn hoofd weg, maar het lukt niet om ergens naar te kijken. Er kruipt te sterk een geur van sigaren in mijn neus.

'Wat ben ik blij om te zien dat je nu wel wilt praten!'

Ik hoor hem vrolijk lachen. Het klinkt als een paar bromvliegen. Ja, dikke vette bromvliegen die tegen het raam bot-
sen en er niet doorheen kunnen.

'Vinden jullie het goed als ik er weer bij kom zitten?' vraagt
de psycholoog.

Fairouz staat op en loopt naar de deur. 'Op dit moment
komt het nog even niet uit. Zal ik je straks bellen?'

Ik glimlach. Om Fairouz, die dit soort dingen zo makkelijk
kan.

'Helemaal prima,' zegt de psycholoog. 'Dan werk ik alvast
wat aantekeningen uit. Ik laat je ze zo wel brengen. Misschien
kun je ze nog gebruiken voor jullie gesprek.'

Hij knikt vriendelijk naar mij. 'Tot later dan maar, Roswitha.'

Fairouz doet de deur dicht en gaat weer zitten.

Van al het praten ben ik hartstikke moe geworden. Ineens
weet ik het heel zeker. Als ik mijn hoofd op de tafel leg, val ik
meteen in slaap. Ook al zit ik op het politiebureau.

Maar deze keer biedt Fairouz me niet aan om later verder
te gaan. Ze buigt zich voorover en vraagt: 'En, heeft Floriaan
later toch nog je cadeautjes gevonden?'

Ik knik.

'Was hij er blij mee?'

'Ik geloof het wel.'

'Natuurlijk, dat dacht ik al!'

Het lijkt wel alsof Fairouz trots op me is als ze me aankijkt.
Alsof ze mijn moeder is of zo, en ik iets heel goeds heb gedaan.

'Heb je hem toen ook zelf gezien?' vraagt ze. 'Dat was toch
wat je het liefste wilde?'

29.

Soms is het reparatiedag. Dan ga ik naar de afvaltuintjes die ik nog een tijd wil bewaren. Sommige tuintjes laat ik rustig uit elkaar vallen, maar niet allemaal. Mijn bloemen in de Muziektuin bijvoorbeeld heb ik al een paar keer vernieuwd.

Eerst dacht ik dat zilverpapier van sigarettenpakjes altijd mooi blijft. Niet dus. Het wordt nat en slap en gaat schimmelen. Zodat er na een tijdje van het zilver niks meer te zien is.

Zelfs de kastanjemuis is nu gerimpeld en gekrompen in zijn jasje van ijzerdraad. Het enige wat ik kan doen is zorgen dat die oude muis weer tussen de allermooiste bloemen staat.

Ik heb vrolijke nieuwe gemaakt. Met piepkleine blokjes kaas die ik met een speciale stift op het zilver heb getekend. Voor als de muis trek krijgt en niet weg kan omdat hij mijn afvaltuintje moet beschermen.

Als ik me buk naar mijn verwelkte bloemen zie ik iets blinken in de zon: drie sterren! Van ijzerdraad.

Ik pak ze op. Maar wat voelen ze vreemd aan! Ze zijn warm, alsof ze net uit een broekzak komen. En ze ruiken sterk naar houtvuur.

Als een gek speur ik om me heen. Misschien is hij nog in de buurt.

Niemand te zien.

Toch weet ik bijna zeker dat hij er is.

'Meneer Floriaan?' vraag ik.

Natuurlijk geeft hij geen antwoord. Dat zou ik ook niet doen. Het enige wat ik hoor is vrolijke pianomuziek en verderop iemand die steeds hetzelfde liedje speelt op een trompet.

Ik wil dat hij blijft en zich laat zien. Wat kan ik tegen hem zeggen? Er is zoveel te vragen. En zoveel te vertellen.

Waar begin je, als je elkaar nog nooit hebt gezien?

Dan denk ik aan de droom waarmee ik vannacht wakker werd. Ik heb een hekel aan dromen, en zeker aan deze. Maar ik heb hem al een paar keer gehad en hij is makkelijk te vertellen.

'Meneer Floriaan?' zeg ik nog een keer.

Om de hoek van de kloostergang hoor ik voeten die zacht over de stenen schrapen, alsof ze aarzelen om weg te lopen.

Hij staat er, het kan niet anders.

'Meneer Floriaan, ik weet dat u in de buurt bent. Ik hoop dat u het niet erg vindt om naar mijn verhaal te luisteren.'

Even denk ik weer dat zachte geschraap op de stenen te horen. Dus ga ik door.

'Het slaat misschien nergens op, maar ik weet niet zo goed wat ik u anders moet vertellen. Het is een droom die ik vaak heb. Misschien snapt u er iets van.

Nou, goed dan.

Ik zit op bed in mijn slaapkamer. Overal is water of modder, dat weet ik niet precies. Het ruikt vies en komt tot aan mijn borst. Ik zie dat het water stijgt. Ik moet ontsnappen. Er is alleen een raam, maar dat zit zo hoog dat ik er niet bij kan.

Kan ik niet ergens een trap van maken?

Met mijn handen tast ik om me heen in het water. Ik vind een soort krat, dat ik voor het raam zet.

Nu moet ik duiken om nieuwe spullen te vinden. Daarom haal ik diep adem en verdwijn in het vieze water. Op de tast vind ik iets. Ik weet niet wat het is, maar ik voel dat het de goede vorm heeft en leg het op het krat. Weer duik ik en ik vind in de modder nog iets waarmee ik aan mijn trap kan bouwen. Het wordt steeds moeilijker om spullen te vinden. En ik heb pijn in mijn borst. Toch blijf ik duiken, tasten en stapelen tot ik denk dat ik genoeg heb. Dan klim ik naar boven.

En net op het moment dat ik bijna weet of ik eindelijk bij het raam kan om te ontsnappen, word ik wakker.'

 Het is stil. Vooral omdat ik ben gestopt met praten. En ook omdat hij natuurlijk al lang is verdwenen.

Hij was er niet eens.

Wat belachelijk. Ik sta hier hardop een droom te vertellen terwijl er niemand is die luistert. Alleen de oude muis tussen mijn papieren bloemen. Plotseling heb ik zin hem kapot te gooien tegen de zuilen.

Maar ik heb besloten zoiets nooit te doen. Niet ik.

Ik moet vergeten wat er net is gebeurd. Verdergaan. Zoals iedere dag opnieuw.

Ik pak de muis en geef hem een kus op zijn snuit.

30.

Het motregent. Alweer. Mijn pet is al nat en er glijdt een drup-pel in mijn nek.

Ik moet vandaag weer naar de Muziektuin. Heel even maar, kijken of Floriaan er is. Al kan ik beter nergens op hopen, dat heb ik wel gemerkt. Dan zijn de dagen veel eenvoudiger.

Eerst zie ik het nog niet, omdat ik een praatje maak met de kastanjemuis. Hij is verdrietig. Want ook de nieuwe zilveren bloemen zijn nat geworden. 'Ik kon nog maar net alle blokjes kaas er vanaf eten,' piept hij.

Ik troost hem en zeg dat ik zoveel nieuwe bloemen voor hem kan maken als hij wil. 'Dan maak ik ze van oude chips-zakken. Die zijn van glimmend zilver aan de binnenkant. Ze kunnen niet verwelken en ruiken nog lekker ook.'

De muis vindt het een perfect plan en is weer helemaal blij.

Pas dan zie ik het, als ik toevallig opzij kijk naar de klooster-gang. Boven op een richel van een van de zuilen staat iets. Ik klim op het muurtje om erbij te kunnen. Het is een meisje met een pet op, van ijzerdraad. Ze staat met één been op een soort trap, het andere been zweeft een eindje de lucht in alsof ze gaat springen. Haar armen steekt ze omhoog. Ik weet zeker dat ze gaat vliegen, want ze heeft kleine eendenveren op haar rug, als vleugels.

Ik ruik eraan. Heerlijk, houtvuur! Het is de geur van Flori-aan, van cadeautjes, van verrassingen.

Hij was er dus toch gisteren. En hij heeft me niet alleen ge-hoord, maar ook gezien.

Nog een keer ruik ik en dan bekijk ik hem nog eens extra goed. Een engel met een pet. Dat heeft hij van mijn droom ge-maakt. Een engel die kan beschermen en vrij is om te vliegen waarheen ze maar wil.

Ik moet lachen als ik zie wat Floriaan met het trappetje heeft gedaan. Het zijn van die blokken geworden waarop sporters staan als ze hebben gewonnen. In het blok onder de voet van het meisje staat een grote één.

Hoewel ik weet dat het voor niks zal zijn, zoek ik of ik Floriaan ergens zie.

Het is toch oneerlijk dat hij mij wel heeft gezien en ik hem nog steeds niet! Ik wil het zo graag. Misschien staat hij van achter een muur te kijken of ik zijn cadeautje leuk vind.

Voor de zekerheid houd ik de engel met de pet in de lucht en zwaai ermee, als een beker die ik heb gewonnen.

Dan zie ik op de richel van een van de andere zuilen nóg iets liggen. Met een bibberig geschreven briefje eraan vastgeplakt: 'Eet smakelijk'.

Het is een tonijn-sandwich, nog helemaal in de verpakking!

Ik trek het plastic lipje los en gris de dubbele boterham eruit. Rustig eten, denk ik. Maar dat is makkelijker gedacht dan gedaan.

Dit is de beste tonijn-sandwich die ik ooit heb geproefd.

Ik haal met mijn vinger de laatste restjes uit de verpakking en dan weet ik het zeker. 'Cadeautjes' is absoluut het woord van vandaag. Want boven op de richel van weer een andere zuil zie ik het doosje van Floriaan liggen. Zo te zien versierd met ijzerdraad en een kastanjeknop. Net als het mijne.

Nu zijn ze broertjes.

Dat heeft lang geduurd, zeg, voordat hij er wat mee deed! Ik pak het doosje van de richel en strooi de inhoud op het muurtje.

Dus dit zijn de woorden van Floriaan. Hij heeft ze gekrabbeld op afgescheurde repen krantenpapier. Ik lees ze, één voor één. Alsof ik verschillende smaken proef.

~~Mensen~~   ~~Praten~~

Lopen, lopen, lopen, lopen, lopen, lopen, lopen

Knappend hoofd

Stilte

Vergeten   Zwerven

IJzerdraad   Met m'n handen

Bezield

Houtvuur

Binnenkant, geen buitenkant

Waarheid   Rechtvaardig

~~Helpen~~

Ros   Kastanjes   Dieren

Loslaten (inderdaad)

Jarenlang niets geschreven

31.

Eén voor één doe ik de woorden terug in het doosje. Ik wil ze bewaren. Net als de engel met de pet en de andere cadeautjes van ijzerdraad. Alleen weet ik nog niet waar, dus stop ik ze in mijn rugzak.

Misschien kan ik proberen zelf iets van ijzerdraad te maken, voor Floriaan, ook al heb ik zoiets nog nooit gedaan. Je hebt er denk ik een soort kleine tang voor nodig.

Jill zou me er vast een kunnen lenen, maar die laat ik nog even met Bai.

Ik loop langs mijn afvaltuintje bij de Oude Kerk, waar de kastanjevlinder en de snoepvlinders goede vrienden zijn geworden.

Naast de regenpijp ligt een kapotte bril. Ik houd hem voor mijn gezicht en schiet in de lach. Er zit maar één glas in. Snel teken ik met een van mijn viltstiften een treurig oog op het glas. Aan het gat ernaast knoop ik alle kettinkjes en armbandjes vast die ik de laatste weken heb gevonden. Het is nu net alsof de bril lange zilveren tranen huilt.

Ineens heb ik vreselijk veel zin om een nieuw afvaltuintje te maken. Echt een goed nieuw cadeau voor Floriaan! En ik weet ook al waar. Bij die grote bank achter de schouwburg, waar de zwervers altijd zitten te drinken.

Vorige week keek ik naar de bouwmannen die bezig zijn met de kades van de singel. De zakken waar zij zand uit halen zijn zo groot dat er wel twee Floriaans en vier Rossen in passen.

Ik vroeg of ze die zandzakken wilden laten liggen. Nou ja, vragen. Ik moest eerst honderd keer diep ademhalen en leek wel zo'n stotterkind.

'Het is voor... het is voor... een kunstproject,' zei ik tegen de bouwmannen.

Ze keken even opzij naar de schouwburg en toen was het goed.

De zakken staan nu met z'n drieën midden op het grasveld tussen de bomen. Vlak bij de bank van de zwervers, waar ze de lege flessen over hun schouder gooien. Dat had me op het idee gebracht.

Sinds ik verloren spullen zoek heb ik een enorme hoeveelheid glas gespaard. In de buurt van al mijn afvaltuintjes staan plastic tassen met gevonden lege flessen, potjes en scherven. Al die tassen ga ik straks ophalen en dan stort ik ze leeg in de zakken.

Maar eerst maak ik zonnestralen van glasscherven eromheen. Want daaraan zie je meteen dat die zakken er niet per ongeluk staan. Ik begin met het witte glas voor een witte straal, daarna maak ik een groene. Voorzichtig de scherf oppakken en hem in het gras drukken, met de scherpe kant naar beneden. Dan vanaf de zakken een rij van glasscherven naar buiten maken en je hebt een zonnestraal. Doodsimpel.

Ondertussen denk ik vast na over waar ik straks de huilende bril neerzet.

Floriaan zal dit tuintje fantastisch vinden!

32.

Als ik voorzichtig de poortdeur opendoe, zie ik het meteen. De hele tuin is overhoopgehaald. Overal liggen lege flessen, opengescheurde vuilniszakken, roestig gereedschap, emmers, losse tegels en bakstenen. Alsof ze woedend door de tuin zijn gesmeten.

Van het dak van de schuur is de stapel oude planken weggetrokken. En er is zelfs een stuk golfplaat kapotgemaakt.

Ma!

Het kan niet anders. Ze heeft weer iets gezocht. Waarschijnlijk geld, zoals meestal. Maar dat ligt toch niet in de tuin?

Mijn rugzak had ik al in mijn hand gehouden om hem snel onder de oude planken te kunnen verstoppen. Nu kan dat niet meer.

Dit was mijn laatste veilige plek.

Nog één keer kijk ik naar de enorme puinhoop op de grond. Dan loop ik weer stilletjes de tuin uit en sluit de poortdeur achter me.

Even kijk ik omhoog naar het raam van Bloem. Haar kamer is donker, maar ik weet niet zeker of ze niet achter het raam staat te kijken.

Ik voel mijn hart kloppen.

Pas als ik een paar straten verder ben, kan ik weer een beetje normaal denken.

Juist nu, op cadeautjesdag, is een goede verstopplek het allerbelangrijkst! Ik mag Floriaans cadeaus absoluut niet kwijtraken.

Zonder te hoeven kijken weet ik welke er allemaal in mijn rugzak zitten: de zon, maan en sterren van ijzerdraad, het boek over Floriaan, het engelenboek van Michiel, de geschreven blaadjes, Floriaans woordendoosje en de engel met de pet. En als allernieuwste cadeau nog de kastanjemier die ik vandaag bij mijn kappersboom vond.

Zal ik mijn rugzak naar een van mijn tuintjes brengen? Is het daar misschien veiliger dan thuis?

Ik denk aan de kastanjekikker die het jarige meisje bijna had meegenomen. Nee, dat is ook niks.

Naar Jill?

Al mijn spullen zijn veilig bij haar. Maar Jill gaat deze keer vast een heleboel vragen stellen. En ze is met Bai.

Had ik ook maar ergens een eigen oude auto waarin ik kon slapen en mijn spullen kon verstoppen. Of wist ik maar waar Floriaan woont, zodat ik mijn tas bij hem kon bewaren.

Nadat ik eindeloos heb gelopen, kom ik vanzelf toch weer bij de poortdeur. Ik ben te moe. Dan maar erop gokken dat ma niet nog eens op dezelfde plek zal zoeken.

Een paar oude planken liggen precies zo dat mijn tas eronder past.

Ik sluip naar binnen, terwijl achter me het licht in de kamer van Bloem aan knipt. Maar dat kan me nu even niets schelen.

33.

Juf Barbara staat fluisterend in de hoek van de lerarenkamer te overleggen met meester Guus, de directeur.

Ze willen dat ik hier bij het bureau even wacht.

'We komen zo bij je,' zegt juf Barbara. 'Als je zin hebt, pak je intussen maar een pepermuntje.'

Daar trap ik niet in. Ik moet mijn hoofd erbij houden.

'Vind je het fijn op school?' vraagt meester Guus, als ze eindelijk klaar zijn met overleggen.

Ik snap niet waarom hij dat vraagt. Maar ik heb besloten mijn best te doen. Dus zeg ik zacht: 'Ja.'

Meester Guus kijkt naar juf Barbara en die knikt hem toe. 'Oké, Ros. Ik zal eerlijk met je zijn. We hebben een probleempje.'

Terwijl ik afwacht wat hij gaat zeggen, zie ik de witte plek om de vinger van zijn rechterhand. Alsof daar pasgeleden nog een ring zat.

Meester Guus tikt tegen mijn arm.

Ik schrik op.

'We willen graag met je ouders praten,' zegt hij. 'Maar ze nemen de telefoon niet op, ze hebben geen e-mail en ze geven geen antwoord op onze brieven.'

Juf Barbara kijkt me aan. 'Je hebt die van laatst toch wel gegeven?'

Nooit met je ogen knipperen, heeft Maud me geleerd. Ik knik en kijk recht vooruit.

'Aan je moeder of aan je vader?'

'Aan allebei.' Ik knipper nog steeds niet. Het is niet genoeg, ik zie het aan haar. 'Ze deden een spelletje scrabble toen ik thuiskwam,' zeg ik dus nog.

'Weet je dat heel zeker?' vraagt juf Barbara. 'Waren ze dan allebei al thuis toen jij van school kwam?'

Ik kijk naar haar nagels. De rode lak is er alweer afgebladderd, behalve op haar rechterpink.

Oppassen nu, dat ik het niet verpruts.

'U kunt die brief ook opsturen als u mij niet vertrouwt.'

Juf Barbara, die nog iets wilde zeggen, doet haar mond weer dicht.

'Sorry, Ros,' zegt meester Guus. 'We zijn juist heel bezorgd om je.'

Een paar seconden is het stil. Dan slaat mijn hart een keer over als hij zegt: 'We zijn bezorgd of je thuis wel gelukkig bent. Of je ouders wel goed voor je zorgen.'

Ik moet hier weg!

Het lukt me om heel rustig te praten als ik naar zijn hand met de witte ring kijk: 'En ik ben bezorgd of ú thuis wel gelukkig bent. Of uw vrouw wel goed voor u zorgt!'

Meester Guus stopt snel zijn hand achter zijn rug.

Terwijl ik naar buiten ren, kan ik maar één ding besluiten, zelfs als het misschien niet slim is. Ik moet dit gesprek zo snel mogelijk vergeten.

Ik kan het, dat weet ik. Bij pa en ma werkt het ook. Die vergeet ik iedere dag opnieuw, en dan gaat het allemaal best goed.

34.

Het tuintje met de glaszakken is nog niet af, ik heb nog ontzettend veel glas nodig.

Het zou mooi zijn als ik dat niet allemaal alleen hoefde te
doen, als Floriaan er gewoon bij kon zijn. Altijd in mijn eentje
aan mijn afvaltuintjes werken wordt saai.

Maar Floriaan is er niet. Ook niet als ik net doe alsof.

Wat is het koud vandaag! Zou Floriaan warmere kleren
hebben dan ik? Ik zag laatst mooie winterjassen in een eta-
lage hangen. Een groene voor hem, dacht ik, en een donker-
blauwe voor mij.

Het is misschien al wel vier uur en ik ben helemaal vergeten
na te denken over een woord.

Wat zou Floriaan kiezen? Zou hij weten dat je vooral geduld
moet hebben?

'Als je goed oplet wat er in de stad gebeurt,' zou ik hem uitleggen, als hij ernaar vroeg, 'als je goed oplet, is het er ineens
vanzelf. Vertrouw me maar.'

Maar alleen als hij ernaar vroeg. Want ik heb een hekel aan
mensen die je zomaar raad geven. Zoals juf Barbara en meester Guus.

Ik heb zin een paar dieren voor Floriaan te vouwen en die te
verstoppen in mijn tuintjes. Ik denk dat ik wel weet wat zijn
lievelingsdier is. Al houden wij tweeën natuurlijk van alle
soorten dieren.

Ik zou hem willen zien als hij mijn gevouwen hond in het
tuintje vindt, hier bij de zeventien duiven van de Kleine Kerk.
Ik heb geen idee hoe hij boven op de richel bij de pomp komt.
Of zou hij ook de trap mogen lenen van de mevrouw met het
bloemetjesschort?

Gelukkig ziet ze me en loopt ze al glimlachend naar binnen. Ze heeft zelfs een eierkoek voor me op haar keukentrap gelegd!

Als ik op tv kom, wil ik graag dat ze ook haar filmen. Ze hoeft niks te zeggen, alleen maar met haar gezicht en haar schort in beeld te komen. Dit tuintje is pas af met haar erbij.

Nu de kastanjerups bezoeken en meteen even kijken of Floriaan mijn vorige cadeautjes al heeft gevonden.

Kijk, ze zijn weg! Ik wist het!

Hé, maar wacht eens. Er ligt een plastic tasje met daarin een brief:

Lieve Ros,

Sorry dat ik je verrassingen niet eerder vond. Ik wist niet dat je hier nog zo'n mooie verstopplaats had. Het ijzerdraad kan ik goed gebruiken en van de Snickers heb ik genoten. Nou komt het moeilijke. Van de woordendoosjes van pa en ma ben ik geschrokken. Ik begreep al dat je net als ik problemen hebt. Maar de jouwe zijn te groot, Ros. Veel te groot om in een doosje te stoppen en te begraven. Ik heb er de hele nacht over liggen piekeren. Het is niet oké bij jou thuis. Je moet hulp zoeken. Kun je Jill vragen? Je kunt haar vertrouwen, toch? Of anders Michiel van De Vil. Hij begrijpt je, dat weet ik zeker. Ik kan het niet. Niemand luistert naar mij.

Floriaan

Ik zie de potloodletters op het papier. Ze dansen met hoog opgetrokken benen en zwaaien met hun gekke hoedjes in de lucht. Ik wist niet dat letters dat konden.

Ik verscheur de brief in honderdduizend stukjes en gooi de snippers in de singel.

Floriaan is geen echte vriend, dat weet ik nu dus. Net als Maud toen ze plotseling met haar moeder verhuisde.

Ik ben weer alleen.

35.

Op de hoek van onze straat zit iemand op de grond. Ze draagt een blonde paardenstaart onder een zwarte pet.

Nee hè! Bloem!

Meteen draai ik me om. Ik moet hier weg, voordat ze me ziet.

Snel loop ik een paar passen terug. Dan hoor ik haar al roepen: 'Ros! Waar bleef je toch?'

Ik doe net of ik niets heb gehoord en loop verder.

'Ros! Hé, Ros! Wacht nou!'

Ze is ergens heel opgewonden over.

Ik besluit te blijven staan, heel even maar. Wegrennen kan altijd nog.

Bloem komt naar me toe, terwijl ze de lolly weggooit die ze in haar mond had. Ze heeft rode wangen, alsof iemand er hard over heeft gewreven. 'Ik zat op je te wachten.'

'Waarom? Ik speel toch niet met jou.'

Daar moet Bloem hard om lachen. 'We zijn een tweeling, dommie. Tweelingen spelen niet. Ze praten ook bijna nooit. Dat hoeven ze niet, want ze begrijpen elkaar al zonder woorden.'

Typisch Bloem!

Merkt ze echt niet hoe vervelend ik haar vind?

Onder haar trui houdt ze iets verborgen. Haar ogen glinsteren geheimzinnig.

'Zie je wel,' zegt Bloem. 'Je keek alleen maar in mijn ogen en ik wist meteen wat je dacht.'

'Echt niet!'

'Jawel. Je dacht: het is maar goed dat Bloem een oogje in het zeil houdt.'

Ze komt nog iets dichter bij me staan. 'Want er zijn weer problemen. Reusachtige problemen zelfs.'

Ze denkt zeker dat ik ga vragen: Wat voor problemen? Maar dat vertik ik.

Toch lukt het me ook niet om weg te lopen.

Bloem buigt zich naar me voorover.

Ik doe vanzelf een stap terug.

'Je kunt niet naar huis,' fluistert ze.

'Hoezo niet?'

'Levensgevaarlijk. Je moeder heeft al jullie foto's verbrand.'

'Hoe weet je dat?' stamel ik.

Ze kijkt een paar keer om zich heen. Dan trekt ze me mee en hurkt achter een geparkeerde auto. 'Luister, je vader was razend toen hij thuiskwam en die verbrande foto's zag. Hij schreeuwde zo hard dat je moeder ging liegen. Ze zei dat jij het had gedaan. Als wraak omdat hij zo'n waardeloze vader is. En nu wacht hij je op. Met een mes, denk ik. Of een mattenklopper, of een riem.'

Ik ril, ook al weet ik dat ze hartstikke staat te liegen.

Het enige wat ik kan, is nog een keer vragen: 'Hoe weet je dat allemaal?'

Bloem wijst op de bobbel onder haar trui.

Ik kijk door de opening bij haar hals en zie de verrekijker aan een koord bungelen.

'Al sinds vanmiddag hou ik ze in de gaten. Eerst vanuit mijn kamer. Maar daar kon ik ze niet verstaan. Dus toen heb ik me verstopt achter het gat in de schutting. Ik wist gewoon dat er iets zou gebeuren.'

Bloem pakt mijn arm. De getekende moedervlek boven haar pols begint te vervagen.

'Eigenlijk zouden we walkietalkies moeten hebben. Dan kunnen we elkaar waarschuwen als er iets is. En geheime boodschappen doorgeven. Want als dit zo doorgaat loopt het heel griezelig af.'

Ik maak mijn arm los en wil overeind komen. Bloem trekt me direct weer naar beneden.

'Jouw ouders zijn zo onhandig!' zegt ze. 'Gisteren gooiden ze asbakken en lege flessen naar elkaar! En plotseling pakte je moeder een mes. Ze zwaaide haar arm boven haar hoofd. Maar ze was zo wild dat ze haar evenwicht verloor en omviel. Echt heel gek!'

Mijn benen trillen. Toch trek ik me los en begin te lopen.

Stap voor stap. Steeds sneller.

'Hé Ros, waarom loop je nou weg?' schreeuwt Bloem me achterna.

Ik probeer rustig adem te halen.

Er is één piepklein gelukje. Bloem mag niet verder dan onze straat en zal me niet volgen.

36.

Het lukt niet om te slapen. En ook niet meer om te besluiten dat ze er gewoon niet zijn als ik dat wil. De hele nacht lig ik te luisteren. Boven huilt ma in haar bed. Beneden snurkt pa in zijn stoel. En ik zit daartussen gevangen. Ik wacht op iets, al weet ik niet op wat.

Ze zijn er echt, ik kan er niets aan doen. Ze zijn er en ze zullen er morgen ook zijn, en overmorgen.

Ik wou dat ze er niet waren en dat ik bij Jill kon wonen.

De douche is koud. Dat is al weken zo, want niemand betaalt de rekeningen.

Gelukkig is mijn broek al bijna helemaal droog die ik gister heb gewassen.

Het regent vreselijk. Toch ga ik naar buiten.

Het is nog donker als ik door de stad loop. Eén ding weet ik zeker: ik ga vandaag niet naar school. Ik heb hartstikke genoeg van dat gedoe.

Maar voor het eerst sinds maanden weet ik niet wat ik dan wel wil.

Ik heb geen zin om naar mijn afvaltuintjes te gaan. Dus loop ik gewoon. Ik zie wel waar ik uit kom.

'Donker,' zeg ik zomaar. Dan heb ik het woord van vandaag tenminste al gevonden. Want echt leuk is het zoeken naar woorden al lang niet meer.

Ik heb zelfs geen honger.

Graffiti zie ik, heel veel graffiti op de muren. Ook op het huis naast het spoor dat laatst door de kinderen was schoongemaakt.

Als ik de binnenstad in loop, zie ik vlaggen op stokken voor een filmfestival, affiches voor een hardloopwedstrijd, een dansfestival, een wereldfeest. Alsof er iets te vieren valt.

Een jongen op een rammelfiets gooit een leeg sigarettenpakje weg.

Lekker makkelijk, denk ik en dan schrik ik.

Het zijn niet mijn woorden. Het zijn de woorden van ma. Die wilde ik niet meer. Daarom had ik ze toch begraven?

Ineens twijfel ik.

Ik heb Floriaan niets over thuis verteld, hem alleen de doosjes van pa en ma laten zien. En toch wist hij hoe het bij ons thuis is. Dat kan hij dus alleen maar hebben geraden door hun woorden.

Zijn die woorden dan zo erg?

Ik moet ze zelf nog een keer zien!

Snel loop ik naar de verstopplaats bij de Sterrenburg. De doosjes liggen er nog.

Ik pak het doosje van ma en hurk in de kleine nis zodat ik niet nog natter word. Haar woorden heb ik in twee stapeltjes verdeeld. In het ene stapeltje zit:

Ik heb jou nooit gewild
      Kijk me niet zo aan

Kan ik er wat aan doen?
          Dat is oneerlijk
   Je maakt me aan het huilen
    Je liegt
Na alles wat ik voor je deed
        Leen me een sigaret
         Ik jat niet
Volgende week krijg je het terug

~~Geld~~   ~~Werk~~

En in het andere stapeltje:

Als ik win betaal ik alle schulden af
en stop met gokken

Als ik win kopen we
nieuwe spullen

Als ik win worden we
gelukkig

Als ik win krijgen we
vanzelf weer vrienden

Als ik win wordt alles
weer goed

Als ik win kan ik een schooltas
voor je kopen

Als ik win krijg je een hondje

Als ik win laat ik me meteen
scheiden van je vader

Dan haal ik één voor één de woorden van pa uit het doosje:

Opsodemieteren (als hij drinkt
en je in de kamer komt)

Die tyfushond (iedere hond die
door de straat loopt)

Die kankerhoer (ma)

Die slettebak (Jill)   Een klerestreek (de baas die
hem ontsloeg)

Die trut kan niks (ma)

Klootzakken (mensen die hem
geen geld willen lenen)

Schijt aan (zijn baas,
zijn broer, de buren, ma,
Jill, mij)   Ik moet tanken
(als hij moet drinken)

Laat me met rust
(als hij drinkt)

Niemand vertelt me in m'n
eigen huis... (als iemand iets
wil zeggen)

Ik schreeuw niet   Dat mongolenkind (ik)
(als hij schreeuwt)

~~Geld~~

Ik gooi de doosjes in de singel. Weg ermee!

Maar ineens is het alsof ik Floriaan hoor praten: 'Het is veel te groot om in een doosje te stoppen en te begraven.'

Hoe weet hij dat nou?! Hij kent me niet eens.

Ik kijk naar de pennen en de batterijen en de kastanjerups. Doodstil turen ze voor zich uit in de plenzende regen. Alsof ze op me wachten.

'Wat zitten jullie nou te kijken!' roep ik hard.

Ik schrik van mezelf. Alweer deed ik net als ma! Het klonk zelfs als haar stem.

Dat wil ik niet. Haar woorden moeten buiten mij en mijn afvaltuintjes blijven. Hier moet het mooi zijn.

Ik moet me concentreren en nadenken.

Zou Floriaan gelijk hebben? Zou Jill het snappen als ik haar eindelijk alles vertel? Ook de dingen waar pa, ma en ik nooit over praten?

37.

In de laatste straat voor haar huis twijfel ik. Jill kan soms zo gek doen.

Misschien heeft ze weer geen tijd.

Of ze gaat zeggen dat het allemaal wel meevalt, of dat ik beter eerst zelf een keer met pa en ma kan praten.

Of misschien vindt ze dat er in ieder gezin wel eens iets is en dat het meestal wel weer overgaat. En dat pa en ma het zelf ook moeilijk hebben.

Zo ging het ook bij de moeder van Maud. Tot ik niet meer durfde te vertellen hoe het bij ons thuis is. Zelfs geen kleine dingen.

Maar nee, zo is Jill helemaal niet. Zij is misschien wel de enige die dat soort dingen nooit zegt.

Jill is sterk genoeg, ik weet het zeker. Als ik haar alles vertel zal ze me helpen. Ze zal schrikken, dat wel. Daarna zal ze ervoor zorgen dat ik nooit meer bij pa en ma hoef te wonen.

Ik houd mijn handen achter mijn rug en laat mijn duimen rondjes draaien. Zacht herhaal ik steeds: 'Je bent gewoon thuis, je bent gewoon thuis, je bent gewoon thuis…'

Ik begin zelfs te rennen, het gaat helemaal vanzelf.

Wanneer ik de trap af loop naar haar werfkelder zie ik het meteen. Er hangt een plastic tas aan de deurknop.

Ongerust loop ik snel door om te zien waarom die daar hangt. Er is een briefje aan vastgemaakt, helemaal doorweekt van de regen.

'Voor Ros' staat erop.

Ik scheur het los van de tas en lees het.

Lieve meid,

Bai had wat problemen om hier te mogen blijven. Nu breng ik hem naar een van zijn neven in Parijs. Ik ben binnen een paar dagen weer terug.

In het tasje vind je nieuw Duits roggebrood. Daar heb ik zomaar zelf aan gedacht! Goed hè?

Dikke zoen,
Jill

Ik staar naar het pak Duitse roggebrood. Op het etiket heeft Jill een mannetje getekend. Met zijn ene hand wrijft hij over zijn buik en met zijn andere maakt hij naast zijn hoofd een wuivend gebaar. In een ballonnetje erboven staat: 'Mmm, lekker!'

Ondanks de traan die ineens vervelend over mijn wang rolt, moet ik lachen. Lieve Jill!

Lief, maar veel en veel te laat! Want ik ga mooi niet terug naar school.

Toch is het fijn dat Jill aan me denkt. En dat ze speciaal naar de winkel is gegaan om voor mij te zorgen. Terwijl ze het zo druk heeft met Bai.

Ik veeg de traan weg en scheur de verpakking van het roggebrood open. Twee plakken haal ik eruit, de rest doe ik in mijn rugzak, voor later.

Het smaakt lekker. Echt een smaak die bij Jill hoort.

38.

Urenlang loop ik nu al, maar hoe ik ook kijk, ik zie nergens meer iets leuks. Zelfs geen grappige weggegooide dingen die ik kan gebruiken voor een tuintje. De stad is anders.

Het enige fijne is dat het is opgehouden met regenen. Misschien kan ik me ergens laten opdrogen.

Ik probeer te denken aan de opa en oma. Zouden ze zin hebben om vandaag mee te doen aan een spel?

Het lukt niet. Ze zijn te ver weg.

Als ik een kleine steeg in loop schrik ik. Ik hoor geschreeuw: 'Dat zal je leren, stinkende klootzak!'

Twee mannen in leren jas en spijkerbroek staan iemand te schoppen en rennen dan snel weg.

Naast de kreunende man liggen oude plastic tassen op de grond.

Mijn hart gaat als een gek tekeer. Het liefste loop ik weg, maar dat kan nu niet. Ik moet het zeker weten en doe een stap naar voren. Meteen voel ik mijn benen trillen. Ze lijken vastgelijmd aan de grond.

Er komt een vrouw op de zwerver af, ze bukt zich en vraagt of het gaat. Ze geeft hem een papieren zakdoek. Nu zie ik dat hij donker is, Marokkaans of zo.

Gelukkig, het is niet Floriaan.

Maar zodra ik weer kijk naar de bebloede lippen van de zwerver kriebelt er een naar gevoel in mijn buik.

Ik grijp in mijn rugzak, voel het boekje dat ik van Michiel heb gekregen en vind de engel met de pet. Nee, die niet.

Dan druk ik het maantje in de hand van de Marokkaan. Floriaan zal het vast niet erg vinden. Hij begrijpt dit soort dingen. Beter dan iedereen.

Verbaasd kijkt de man me aan. Voorzichtig breekt er een glimlach door op zijn gezicht. De vrouw van de papieren zakdoek glimlacht ook.

Er gaat veel kapot, zie ik ineens. Overal staan gedeukte verkeersborden en omgewaaide reclamezuilen voor de winkels. Op straat liggen folders en het rode plastic van een gebroken achterlicht.

Het gaat niet goed met de stad. Ze huilt niet hardop, ze kijkt wel uit. Maar als je goed luistert, hoor je haar toch. En dan klinkt het des te erger.

Iemand moet er iets aan doen. De stad moet worden beschermd.

Ik neem een besluit.

Gelukkig, ik kan het weer.

Ik pak Michiels engelenboekje en blader het deze week voor de tiende keer door. Voor de zekerheid.

Net als de vorige keren zie ik al die mooie namen: Uriël, Zadkiël, Haniël...

Ja, dat is een goed idee. Ik ga langs mijn afvaltuintjes en geef ieder kastanjedier een engelennaam. Ze zijn sterk en weten hoe het is om iets te beschermen, zelfs een hele stad.

Juist omdat iedereen altijd denkt dat engelen mooie lichtgevende mensen met twee vleugels zijn, zullen mijn kastanjeengelen niet opvallen. En intussen kunnen ze stilletjes hun werk doen.

Wat zijn ze mooi, mijn beschermers van de stad! De kastanjekikker heet nu Chamuel, ik heb een naamplaatje onder zijn poten geplakt. De spin heet Raphael, de rups Ariël, de nieuwe mier bij de kappersboom Azrael, de krekel bij de stenen pomp Zadkiël, de muis in de Muziektuin Gabriël, de vlinder Uriël, de uil Haniël... En de kastanjebij in de lantaarnpaal bij het

snoepmuseum heet Floriël. Die laatste naam heb ik zelf verzonnen. Doodsimpel, als je eenmaal doorhebt hoe het werkt
met die engelennamen.

En ineens weet ik heel zeker dat het woord vandaag geen
'donker' is, maar 'engelen'.

Morgen ga ik het boekje terugbrengen naar De Uil. Dat heb
ik nu niet meer nodig.

Misschien dat ik dan ook Michiel vraag om mij te helpen.
Maar dat weet ik nog niet zeker.

39.

Het lukt me vanmorgen niet om ongezien het huis uit te glippen.

'Wat heb ik nou aan jou!' huilt ma. 'Help me toch om hem wakker te maken. Hij zou me geld geven.'

Ze staat aan pa's shirt te trekken en krijst in zijn oor. Maar hij merkt het niet. Hij hangt heel gek met zijn hoofd opzij in de stoel. Zijn gezicht is blauwig en hij ademt traag.

Het heeft geen zin, hij zal nog uren weg zijn. Dat zie je ook aan de whiskyflessen die naast hem liggen. Het zijn er zelfs twee deze keer, al zit er nog een restje in de tweede en heeft hij behoorlijk geknoeid op de grond.

Ik zeg ma dat het geen zin heeft, maar ze luistert niet. Ze staat daar maar aan dat shirt te sjorren.

'Ma, hou op,' zeg ik nog eens. 'Hij hoort je niet.'

'Hij hoort me nooit!' gilt ze. 'Niemand hoort me!' Ze stormt de trap op. Ik hoor haar driftig heen en weer lopen in haar kamer. Ineens dringt tot me door dat ze zelf haar haren heeft geknipt of zo. Ze had vreemde plukken op haar hoofd.

Ik kijk rond naar iets wat ik voor haar kan maken, maar in de keukenkastjes is niets meer. Daarom zet ik het vaasje met de plastic bloemen voor haar deur, met een briefje:

Het komt vast allemaal goed.
Ros.

Nog één keer kijk ik naar pa. Hij ziet er vreemd uit. Bijna oké, als hij zo diep slaapt.

Met drie truien onder mijn zomerjas stap ik naar buiten.

Ik zie het meteen. De engelen hebben hard gewerkt. Ik ben hartstikke trots op ze. Ze hebben de stad goed beschermd en rust gebracht! Het is stil.

Even twijfel ik: zal ik 'stil' kiezen als woord voor vandaag? Maar ik weet niet of ik dat woord al eerder heb gebruikt. En ineens heb ik er geen zin meer in. Ik doe dit al zo lang.

'Geenzinmeer' is dus mijn laatste woord. Morgen ga ik maar eens iets nieuws verzinnen.

Ik trek mijn pet lekker laag op mijn hoofd en blaas wolkjes voor me uit. De wolkjes maken de onderkant van de klep vochtig. En daarvan wordt mijn neus een beetje nat. Het is leuk. Maar ik houd mezelf er niet mee voor de gek.

'Kom op, Ros!' zeg ik hardop in de stille straat. 'Nu niet meer uitstellen!'

Ik weet wat ik vandaag ga doen. De Uil is vast al open. Michiel zal het begrijpen. Misschien regelt hij zelfs dat ik bij Jill mag wonen. Nu zij het zelf even niet kan doen omdat ze bij Bai zit. En dan wordt het weer net zoals in die logeerweek na de Grote Ruzie.

Toch blijf ik aan de overkant van de straat staan treuzelen. Ik kijk naar de winkelruit en zie dat iemand er een steen tegenaan heeft gegooid. Als een kronkelig weggetje loopt er een barst over het glas. Ik wil weten waar dat weggetje heen loopt, maar schrik op van Michiel.

Hij komt naar buiten en roept: 'Ros, ik zag je staan. Wat fijn dat je er bent. We moeten praten!'

Ik begrijp het niet. Hoe wist hij dat ik langs zou komen om te praten?

Maar het gaat niet over mij, het gaat over Floriaan.

'Ros, luister. Nadat jij hier vorige week was, besefte ik ineens dat het zo niet langer kan. We moeten Floriaan helpen, of in ieder geval: ik moet hem helpen.'

Michiel ziet dat ik bij de tafel blijf staan en zegt ongeduldig: 'Ga nou zitten, Ros. Het is een heel verhaal. Heb je trouwens al ontbeten? Hier, drie boterhammen en een kop thee. En geen nee zeggen, alsjeblieft.'

Eén seconde twijfel ik toch nog of ik het zal aannemen, maar dan neem ik gewoon een hap.

'Ik ben overal navraag gaan doen,' zegt Michiel. 'En uiteindelijk ben ik bij het ministerie van Defensie uitgekomen. Daar kreeg ik iemand aan de lijn die vroeg of ik Floriaan persoonlijk ken. Want als dat zo is, moest ik hem zeggen dat hij eerherstel heeft gekregen. Eerherstel: weet je wat dat is? Ze geven toe dat hij al die tijd gelijk had. Dat meneer Aalberg en die andere mensen in het leger inderdaad zijn doodgegaan door bommen waar iets mis mee was.'

Michiel kijkt me aan om te zien of ik het snap. Maar hij wacht mijn reactie niet af, zo opgewonden is hij: 'Het ministerie wilde dit aan Floriaan vertellen, maar ze weten niet waar hij is en zelfs niet of hij nog leeft. We moeten hem opsporen, Ros! Het mag nu niet meer misgaan.'

Michiel stoot zijn kop thee tegen de mijne en roept heel hard: 'Proost!'

We lachen. Die Floriaan. Hij hoeft niet meer in zijn kapotte auto te wonen. En misschien wil zijn vrouw hem nu ook wel terug.

'Hoe vinden we hem?' vraag ik dan.

'Dat is het probleem. Ik weet niet waar hij woont en hij is hier al weken niet geweest.'

Ik denk na. 'Misschien kan ik briefjes voor hem neerleggen in mijn afvaltuintjes. Daar komt hij af en toe langs. En ik kan hem gaan zoeken.'

40.

Al bij mijn eerste afvaltuintje zie ik dat er iets niet klopt. Ik sta bij de regenpijp van de Oude Kerk om één van mijn briefjes achter te laten voor Floriaan.

Ik heb geschreven dat hij naar De Uil moet komen, omdat Michiel goed nieuws voor hem heeft.

Normaal praten de snoepvlinders gezellig met de kastanjevlinder Uriël. Nu bungelen ze treurig aan hun draadjes. Want Uriël is weg. Gestolen!

Verslagen sta ik daar. Een beschermengel die wordt gestolen. Zoiets kan toch niet!

Maar er is geen tijd. Ik moet Floriaan vinden en maak snel mijn briefje vast.

Plotseling krijg ik een slecht voorgevoel en begin te rennen.

En inderdaad, het wordt nog erger. Ook Azrael, de kastanjemier bij de Drukke Gracht, is verdwenen. Voor de zekerheid speur ik in de boom of hij niet ergens op een andere tak is gaan zitten. Maar het enige wat ik zie zijn overal haarelastiekjes.

Zomaar twee beschermengelen minder!

Vlug prik ik een briefje voor Floriaan aan de boom en ren door naar de Muziektuin. Ja hoor, ook de kastanjemuis Gabriël is weg.

Zo hard als ik kan loop ik naar de Kleine Kerk. Als de mevrouw met het bloemetjesschort nu maar haar trap in de buurt van de pomp heeft staan.

De trap is er niet.

Er is helemaal niets in de buurt waarop ik kan gaan staan. Ik heb echt die trap nodig!

Zal ik aanbellen?

Ik spring eerst een paar keer zo hoog mogelijk om op de richel te kunnen kijken. Zie ik daar nou iets? Is het de krekel Zadkiël of niet?

Gelukkig komt de mevrouw aanfietsen. Zonder bloemetjesschort, maar in een dikke bruine jas. Ze ziet me en zet haar fiets tegen de pomp. 'Klim maar op het achterrek. Dan kun je erbij. Maar volgens mij heeft die meneer hem een uur geleden weggehaald.'

Wat! Heeft Floriaan Zadkiël weggehaald? Is hij het die alle kastanje-engelen heeft meegenomen?

Waarom?

Dat mag hij niet zomaar alleen bepalen!

'Meisje, je ziet helemaal bleek. Wil je even binnenkomen om een kop thee te drinken?'

Ik schud mijn hoofd. Er prikken tranen in mijn ogen. Eerst moet ik het zeker weten. Ik brabbel iets als groet naar de mevrouw en ren weer verder.

De kastanjerups Ariël: weg. De kastanjekikker Chamuel: ook weg. De kastanjespin Raphael: nergens meer te zien.

Maar hier, tussen de voetballende bierflesjes en blikjes, ligt een briefje. Van Floriaan. Ik zie het aan zijn bibberige potloodletters.

Lieve Ros,

Je had gelijk. Je was boos op mij. Bij de Sterrenburg vond ik nog wat snippers van de brief. Ik begrijp best dat je hem hebt verscheurd. Ook deze nacht heb ik wakker gelegen. Ik heb nagedacht over hoe jij dat zou doen en heb een besluit genomen. Vanmorgen heb ik me geschoren en van de boer een net pak en een stropdas geleend. Ik ga je helpen. De beschermengelen neem ik mee. We kunnen alle hulp gebruiken. Mooie namen hebben ze nu trouwens!

Kom naar het snoepmuseum. Ik wacht op je.

Floriaan

41.

Ik zal Floriaan zien! Eindelijk. Nu snap ik dat hij me al die tijd al graag wilde helpen. Alleen dacht hij dat hij het niet kon. Hij liet me dus helemaal niet in de steek, hij moest moed verzamelen om een besluit te kunnen nemen. Ik weet precies hoe dat voelt.

Die Floriaan!

Zal hij er nog net zo uitzien als achter op zijn boek? Met al die sproeten en zijn vriendelijke ogen? En wat voor stem zal hij hebben?

Ik zal het nu eindelijk weten!

Zo hard als ik kan ren ik over de Drukke Gracht. Maar hoe harder ik loop, hoe banger ik word dat Floriaan er toch niet zal zijn.

Ik voel steken in mijn zij en moet stoppen om op adem te komen, heel even maar.

Het is al lang niet meer stil in de stad. Dat snap ik best, want Floriaan heeft onze beschermengelen meegenomen.

Vlak voor mijn neus schiet een man een winkel uit. Hij heeft een paar truien onder zijn arm met de prijskaartjes er nog aan. Achter hem aan stormt de winkelier naar buiten. Hij is veel sneller dan de dief en werpt zich boven op hem. Scheldend pakt hij de truien terug en laat de dief op de grond liggen.

Een grote kale man die heeft toegekeken staat keihard te lachen. Hij gooit vijf cent voor de dief neer. 'Mooie voorstelling!' roept hij. 'Dat geld heb je eerlijk verdiend, man!'

Ook andere mensen lachen nu en zoeken naar hun portemonnee.

De steken in mijn zij zijn over, ik ren alweer.

Als ik langs De Uil kom, twijfel ik of ik Michiel moet vertellen dat ik Floriaan heb gevonden. Maar ik wil Floriaan eerst zien. Ik moet zeker weten dat hij er is. Dan komen we later wel samen terug om feest te vieren voor het eerherstel.

Halverwege de laatste straat ga ik langzamer lopen.

Wat wil Floriaan straks eigenlijk gaan doen? Zo erg is het thuis toch ook weer niet?

En ineens zie ik ons voor me in een lange donkere gang. Bij een dokter of zo. Of bij iemand achter een bureau die ontzettend veel vragen stelt en een dikke stapel papieren invult. Floriaan houdt mijn hand vast, dat is fijn. Maar ik wil daar niet zijn.

Ik aarzel.

Bij de ingang van de steeg voor het snoepmuseum en de bioscoop blijf ik ten slotte staan.

Ik wil Floriaan zo graag zien, al vanaf de eerste dag dat hij dieren van mijn kastanjes heeft gemaakt. Maar het zou mooi moeten zijn, niet moeilijk.

Kunnen we niet gewoon een café binnengaan en een appelbol eten met warme chocolademelk erbij? En plannen bedenken over alles wat we met zijn tweeën willen maken? Nieuwe afvaltuintjes, een museum voor ijzerdraadkunst… Of ik leer hem een paar van de kaarttrucs van Bai.

Ik schrik op van geschreeuw.

'Waar wou je heen, stinkende zwerver? Het is betaaldag. Voor alles wat je hebt gestolen.'

Er klinkt een harde klap en een geluid alsof iemand op de grond valt.

Mijn adem stokt. Ik schud met mijn hoofd heel hard van nee, alsof ik daarmee kan bepalen wat er in de steeg gebeurt. De vorige keer was het ook iemand anders dan Floriaan.

'O, nu heb je ineens niets meer te zeggen!' roept een tweede stem. 'Nu lig je daar met je mond vol tanden.' Hij lacht hard, ook al is het helemaal geen grap.

De ander lacht mee. 'Een mond vol tanden!' schatert hij. 'Ja, nu nog wel. Maar niet meer als we met je klaar zijn!'

De tweede stem is plotseling uitgelachen en gromt dreigend: 'Dacht je dat je ons voor de gek kon houden met dat nette pak!'

Mijn hart slaat drie keer over.

'Waar heb je dat gejat?' gaat hij grommend door.

Even is het stil, alsof ze echt een antwoord verwachten. Dan schreeuwt de eerste stem: 'Dat kost je extra klappen, vieze klootzak! Zulke pakken dragen zwervers niet.'

O, nee. Het nette pak dat Floriaan speciaal bij de boer heeft geleend om met mij te kunnen meegaan! Hij is het dus wel! Ik moet hem helpen.

Als ik een stap wil zetten, trillen mijn benen en zit ik weer vastgelijmd aan de grond.

Nee, niet weer! Ik wil het niet. Floriaan heeft helemaal niemand. Nooit wil iemand hem helpen. En ook nu is er niemand.

Dat kan toch niet. Ik moet iets doen.

'Voel je deze, vieze zwerver?' hoor ik schreeuwen.

'En deze?'

Ze schoppen hem. Er klinkt gestamp en geschop uit de steeg van zware schoenen. Daarna hoor ik geschreeuw, en zacht gekreun.

De muren om me heen lijken te draaien. Vanzelf zijn mijn oren dichtgegaan. Ik wil het niet horen, ik wil hier niet zijn. Maar het is moeilijk om echt niets te horen.

Er schreeuwt geloof ik nog iemand anders. Zijn ze met zijn drieën en heeft de derde eerst alleen maar toegekeken?

Ik moet iets doen. Maar wat kan ik beginnen? Een klein meisje tegen drie grote mannen.

Of zouden ze juist schrikken als een meisje komt kijken en vraagt waarom ze dit doen?

Dat is het! Juist van mij verwachten ze het niet!

Eindelijk laat de grond mijn voeten los. Ik spring naar voren.

Maar net als ik hun kant op loop, rennen ze plotseling de steeg uit. Vlak langs me heen.

Het gaat zo snel dat ik alleen de laatste van de drie kan zien. Hij draagt een leren jack en een spijkerbroek. Ik zie bloed op zijn groene gympen.

Nu word ik razend. Zo hard als ik kan ren ik achter hen aan en schreeuw: 'Jullie zijn zelf gemene klootzakken!'

Ik ren en ren, harder nog dan eerst, alsof mijn woede me extra kracht geeft, haast alsof ik vleugels krijg. Daardoor hoop ik dat ik ze kan inhalen. Maar na een tijdje zie ik dat de afstand tussen ons juist groter wordt. Nog even loop ik door, dan stop ik. Ik voel weer steken in mijn zij.

O nee, Floriaan! Hoe kon ik hem daar alleen achterlaten? Ik moet meteen terug, kijken hoe het met hem is.

Zo snel mogelijk loop ik het hele stuk weer terug en verbijt de pijn in mijn zij.

Bij de steeg hoor ik mensen praten met gedempte stemmen. Ik kan ze niet goed verstaan. Ik hoor alleen: 'Vlug' en 'Anders haalt hij het niet'.

Er schieten twee mannen langs me de steeg in. Ze houden allebei een hand aan de rijdende brancard tussen hen in. Dan zie ik ook het blauwe licht van de ziekenauto tegen de muren weerkaatsen. De ambulance staat achter me met wijd open deuren.

Later komen de mannen terug. Hun gezichten zijn treurig. Ze lopen minder snel nu, want op de brancard ligt iemand. Er is een soort deken over hem heen gelegd. Zoals in films, denk ik, en ik durf niet meer te kijken.

Dat doen ze altijd als iemand dood is gegaan. Dan sluiten ze je ogen en leggen een doek over je heen.

Ik sta daar maar te staan.

Iemand vraagt of hij de plastic tassen in de ziekenauto moet leggen.

En voordat ik het weet is iedereen weg.

Pas dan durf ik eindelijk de steeg in te lopen.

Een vrouw van de bioscoop staat met een emmer en een bezem de bloedvlek weg te schrobben. Ze kijkt me even aan, maar zegt niets.

Als ze weer naar binnen gaat, loop ik naar de lantaarnpaal waar de kastanjebij alleen is achtergebleven. Het is de verdrietigste engel die ik ooit heb gezien.

Had Floriaan maar tijd gehad om hem te pakken, dan had de engel hem kunnen beschermen.

Nu is hij dood…

42.

Ik zit hier op het politiebureau en huil. Om Floriaan. Ik kan het niet meer tegenhouden. En ik vind het ook ineens niet belangrijk meer om nooit te huilen.

Mijn schouders schokken en tranen rollen als natte kralen alle kanten op. Langs mijn wangen, op de tafel, over mijn handen waarmee ik in mijn ogen wrijf.

'Huil maar, Ros,' zegt Fairouz. 'Het geeft niets. Ik zou nog veel harder huilen dan jij.'

Ze schuift de servetten naar me toe die ze met de chips en broodjes heeft meegenomen.

'Sorry, we hebben geen zakdoekjes of tissues meer. Kennelijk is er hier nogal wat af gesnotterd de laatste tijd.'

Door mijn betraande ogen bekijk ik de servetten. Op het papier zie ik een blauwe krekel, een mier, een duif, een uil, een rups, een muis, een kikker, een vlinder en een bij. Ze kan goed tekenen, Fairouz.

Maar ik moet er nog harder van huilen. Want ik denk weer aan Floriaan. Aan de dieren die hij voor me maakte en die nu allemaal weg zijn.

Alleen de kastanjebij heb ik meegenomen.

Ik zet de bij voor me op de tafel, zodat ook Fairouz haar kan zien.

'Mooi,' zegt ze.

De servetten pak ik niet, die laat ik op tafel liggen. Zonde om ze te gebruiken. De tranen veeg ik wel weg met mijn hand.

Het huilen moet stoppen. Want ik ben nog niet klaar. Voor Floriaan moet ik mijn verhaal nu eindelijk echt afmaken.

Ik hoef niet te vertellen hoe ik als een slaapwandelaar door de stad dwaalde. Ook niet dat ik uiteindelijk bij Jill aankwam en dat ze gelukkig al terug was uit Parijs. Dat weet Fairouz al, want ze was daar zelf om me op te wachten.

Ik moet haar nu vertellen van de man met het bloed aan zijn gympen.

Zo diep mogelijk haal ik adem en dan, alsof ze weet dat ze me hierbij even moet helpen, vraagt Fairouz: 'Volgens mij wil je nu dat ik iets voor je doe.'

Ik knik.

'Heeft het te maken met Floriaan?'

'Ja, natuurlijk,' zeg ik, nog half snikkend.

'Oké. Alleen weet ik niet zo goed wat. Kun je me helpen en het uitleggen?'

Net als ik opnieuw diep ademhaal, gaat de deur open en komt er een politieagent binnen. Hij fluistert iets in het oor van Fairouz en legt een paar papieren voor haar op tafel. Ze bladert ze door, maar ik let niet meer op haar. Want in de gang hoor ik het gezoem en ik ruik weer die sterke lucht van het kopieerapparaat.

Als ik eindelijk durf op te kijken, schrik ik toch. Daar is hij weer, de man met de gescheurde spijkerbroek en de groene gympen. Hij heeft ze schoongemaakt. En nu staat hij daar alsof er helemaal niets aan de hand is.

43.

'Ros,' hoor ik Fairouz zeggen. 'Ros, wat is er?' Ze buigt zich over de tafel naar me voorover. 'Gaat het wel? Waar kijk je naar?'

Praten lukt niet. Gelukkig zit ik op een stoel en voel ik mijn slappe knieën niet.

Fairouz volgt mijn blik naar de gang. Dan kijkt ze weer naar mij. En ineens staat ze op.

'Patrick,' roept ze naar de man bij het kopieerapparaat. 'Kom eens binnen.'

Het liefst zou ik wegkruipen achter Fairouz.

Mijn handen trillen. Ik leg ze op tafel. Het helpt niet, ze blijven trillen.

'Dit is Patrick,' zegt Fairouz. 'En dit is Ros.'

Patrick knikt naar me en wil me een hand geven.

Gelukkig duwt Fairouz zijn hand omlaag. 'Wacht.'

Ze kijkt me aan. 'Luister, Ros. Patrick is niet wie jij denkt dat hij is.'

Maar het enige waar ik naar kan kijken zijn die twee groene gympen. Er zitten een paar piepkleine restjes bruin op die hij er niet af heeft gekregen.

Snel draai ik mijn hoofd weg naar de prullenbak in de hoek.

'Ros, alsjeblieft. Luister nou even. Patrick is een politie-agent, net als ik. Alleen is hij expres niet zo gekleed. Dat noem je "undercover" of "in burger". Dan draag je geen uniform, maar gewone kleren.'

Vanzelf draai ik mijn hoofd terug.

Ik geloof haar niet. Een politieagent zou toch nooit Flori-aan uitschelden en hem schoppen? Waarom zegt Fairouz zulke dingen?

'Geloof me, Ros. Patrick werkt al drie weken lang in burger om die gekken op te sporen. Ze denken dat ze de stad moeten opruimen of zoiets, en slaan steeds zwervers in elkaar. Vanmiddag heeft hij ze eindelijk betrapt en opgesloten.'

Patrick staat daar maar een beetje en peutert aan een van de rafels van zijn gescheurde spijkerbroek. Hij snapt niet waarom Fairouz dit allemaal aan mij vertelt.

Maar ik voel dat het trillen minder wordt.

'Ze hebben laatst een zwerver bijna doodgetrapt. En vandaag weer één. Gelukkig was Patrick er net op tijd bij.'

Fairouz kijkt van mij naar Patrick en geeft hem een knikje. 'Vertel Ros eens hoe het met hem gaat. Ze is zijn beste vriendin. Ros is het meisje van de kastanjediertjes.'

'Aha. Nu snap ik waarom je zo van me schrok.'

Bijna onzichtbaar knik ik.

'Luister, Ros,' zegt Patrick. 'Meneer Biessel ligt in het ziekenhuis. Hij heeft nogal wat gebroken en een flinke wond aan zijn been. Het bloedde behoorlijk. Maar volgens mij is hij ontzettend sterk.'

'Hij is toch dood?' stamel ik.

'Nee. Dat was het eerste wat ik heb gecheckt. Hij was er erg aan toe, maar ik zag meteen dat hij het zou halen.'

Ik kan het nog steeds niet geloven.

'En die deken dan? Die hadden ze toch over hem heen gelegd?'

Patrick grinnikt. 'Dat weet ik niet, hoor. Ik rende op dat moment die mannen achterna. Misschien was de deken bedoeld om hem warm te houden.'

'En die mannen, die Floriaan in elkaar sloegen?'

'Die gaan nu dus naar de gevangenis. En daar komen ze voorlopig niet meer uit ook.'

Even wacht hij af of ik het echt wel heb begrepen. Dan vraagt hij aan Fairouz of het zo goed is.

'Ja, ga maar weer verder met je papierwerk,' zegt ze.

Patrick zucht overdreven. Hij houdt zijn arm tot boven zijn hoofd om te laten zien hoe groot de stapel papieren is, en Fairouz schiet in de lach.

'Misschien kun je Ros later nog wat meer vertellen. Als ze daar behoefte aan heeft.'

'Wanneer je maar wilt.'

Patrick knikt vriendelijk naar mij en loopt dan terug naar het kopieerapparaat.

44.

Dus Floriaan leeft nog! En ik wist zo zeker dat hij dood was!

Fairouz komt dichterbij en hurkt naast me neer. Ik ruik de frisse geur van haar haren.

'Was dit het wat je me al die tijd wilde vertellen? Dat je hier een van de mannen had gezien die Floriaan zo schopten?'

'Ja,' zeg ik alleen maar.

'Wat een geluk dat het heel anders is gegaan dan jij dacht!'

Fairouz glimlacht en ik zie weer de mier bij haar oor die aan zijn wandeling wil beginnen.

Nu glimlach ik ook.

Floriaan zal nog steeds kastanjedieren kunnen maken! Hij kan mijn nieuwe afvaltuintje zien. Misschien mag ik zelfs kijken waar hij woont.

'Meneer Biessel zal vast heel blij zijn als je hem opzoekt. Dan zien jullie elkaar eindelijk.'

Ik veer op. 'Kan dat nu?'

'Nu meteen?'

Ik knik. Waarom niet? 'Ik moet hem nog vertellen van het ministerie en het eerherstel.'

'Je hebt gelijk, hij weet nog helemaal van niets.'

Dan valt ze stil.

'Ros,' zegt ze uiteindelijk aarzelend. 'Ik weet niet precies wat nu het beste is. Misschien kunnen we dat samen bepalen. Oké?'

Wat wil ze nou? Waarom kan ik niet gewoon naar Floriaan toe?

'Herinner je je dat de psycholoog zei dat hij nog naar een ander meisje toe moest om met haar te praten?'

Ik haal mijn schouders op.

'Dat meisje wil je graag iets vertellen over je vader en je moeder. Dat kwam die agent me net zeggen. Vind je dat een goed idee?'

Pa en ma! Ineens voel ik me overal koud worden.

'Is dat ook allemaal een enorme vergissing?'

'Wat bedoel je?'

'Leven pa en ma nog? Net als Floriaan. Gaat het meisje me dat vertellen?'

Nu schudt Fairouz haar hoofd. 'O nee, het spijt me zo, Ros! Ze zijn dood. Helaas.'

Ze houdt het niet meer vol op haar hurken naast me en pakt een stoel, die ze tegenover me zet. 'Het meisje heeft iets gezien. Iets wat je misschien belangrijk vindt om te weten.'

Ik wil niets weten.

Het maakt me niks uit hoe ze dood zijn gegaan. Waarom zou ik dat moeten weten? Als al dat gedoe maar voorbij is.

Fairouz blijft me aankijken. Ook na uren luisteren heeft ze nog steeds alle tijd van de wereld. Maar er is iets vreselijk treurigs in haar ogen, waardoor ik het plotseling begin in te zien.

Pa en ma zijn dood. Serieus. Ze zijn echt weg.

Iedere dag besloot ik dat ze er niet meer waren. En als ik buiten aan mijn afvaltuintjes werkte, was dat ook zo. Maar 's avonds waren ze er dan toch gewoon weer.

Nu is het anders. Er is iets verschrikkelijks met pa en ma gebeurd. En daardoor komen ze nooit meer terug.

Maar dat kan toch helemaal niet?

Ze waren er al voordat ik werd geboren. Dan kunnen ze toch niet zomaar ophouden te bestaan? Alleen omdat ik liever bij Jill wil wonen?

Verschrikt kijk ik naar Fairouz.

'Komt het door mij? Zijn ze dood doordat ik ze iedere dag heb weg gedacht?'

'Absoluut niet!'

Fairouz wil heel graag dat ik haar geloof, maar ik weet het niet. Sommige dingen zijn zo ingewikkeld. Die doe je verkeerd zonder dat je het doorhebt.

Even zeggen we allebei niets.

Ik denk aan pa, die voor onze deur staat te schreeuwen naar de buurman en zijn hond. Het helpt niets als de buurman zegt dat de poep op de stoep van een andere hond is.

Hoe kan pa er nou ineens niet meer zijn?

En ma? Zal ze nooit meer ijsberen in haar kamer of in huis zoeken naar geld dat pa voor haar heeft verstopt?

Fairouz geeft me een tikje op mijn arm. 'Denk je dat het je lukt om naar dat meisje te luisteren?'

Vanmorgen heb ik zelf nog gezien hoe vreemd pa en ma deden. Ook zonder dat iemand het me vertelt kan ik het allemaal wel ongeveer bedenken.

Het zal niet mooi zijn. En sommige dingen kun je maar beter niet horen. Zoiets hoef je mij niet uit te leggen.

Ook ben ik bang dat ik weer ga huilen.

Ik schud al mijn hoofd. Misschien later, niet nu. Dan bedenk ik dat ik er later helemaal geen zin meer in zal hebben. Liever in één keer er vanaf zijn.

'Oké,' zeg ik. 'Laat haar maar komen. Maar daarna wil ik Bloem nooit meer zien.'

Fairouz glimlacht verrast. 'Dus je wist al dat zij het was?'

'Ik ben niet gek,' zeg ik.

45.

Ik hoor haar al huilen op de gang.

Jakkes, waarom is het altijd zo vervelend met Bloem!

Zodra ze binnenkomt, vliegt ze me in de armen. Ze hangt zwaar om mijn middel. Eén seconde maar, want ik duw haar meteen weg.

Ze struikelt achterover en kan maar net blijven staan.

'Het is zo erg,' snottert Bloem.

Pas dan zie ik de moeder van Bloem bij de deur.

'Sorry, Ros,' zegt ze. 'Voor alles.'

Fairouz schuift een stoel naar voren. 'Bloem, ga zitten. Ik wil dat je diep ademhaalt. Dit is belangrijk voor Ros. Je moet nu heel erg je best doen.'

Bloem gaat zitten en veegt met haar mouw langs haar neus. Als ze wil gaan praten, begint ze opnieuw te huilen.

Hier heb ik helemaal geen zin in!

Dit was een ontzettend stom idee. En nog stommer om er ja tegen te zeggen!

Ik spring op.

Zonder nog naar iemand te kijken loop ik de kamer uit. De deur gooi ik achter me dicht.

Op de gang sta ik uit te hijgen. Wat nu?

Bij het kopieerapparaat is Patrick klaar met zijn papieren. Hij staat met iemand een praatje te maken.

Het is Jill! Net nu ik haar zo nodig heb!

Ze ziet me op hetzelfde moment en komt meteen op me af-gestormd.

Jill tilt me op en drukt me zo stevig tegen zich aan dat ik geen adem meer krijg. Alles aan haar ruikt naar terpentijn. Ze draait met me in het rond en zegt steeds: 'Och meissie toch, och meissie toch.'

'Heb je al die tijd hier gewacht?' vraag ik.

'Nee, ik moest ook even bij jou thuis gaan kijken.'

Natuurlijk weet ik het al, ik weet het al de hele tijd. Toch moet ik het nog één keer vragen: 'Zijn ze echt dood?'

Jill zegt niets. Ze drukt me alleen nog dichter tegen zich aan.

Achter me gaat de deur open. Fairouz komt de gang op en knikt vriendelijk naar Jill.

Jill vraagt: 'Is Bloem daar binnen?'

Ik wurm me los. 'Ik wil Bloem niet meer zien!'

Fairouz en Jill pakken me tegelijk beet. Ieder aan een arm. En allebei buigen ze zich tegelijk naar mij over. Als een vreemde dans. Ze kunnen het onmogelijk hebben afgesproken.

Verbaasd sta ik ze aan te staren.

Jill en Fairouz moeten een beetje lachen.

Dan zegt Jill: 'Kom, we gaan naar binnen. Ik wil ook horen wat Bloem ons wil vertellen. Het gaat wel mooi over mijn zus!'

46.

Bloem zit bij haar moeder op schoot. Ze snottert niet meer. Ze kauwt ergens op en lijkt ons niet binnen te zien komen.

Haar moeder zegt opnieuw: 'Sorry, Ros. Ook voor net.'

Jill, Fairouz en ik kijken haar aan. Ze streelt Bloem over haar blonde haar en wiegt haar zacht heen en weer.

 Net voordat haar moeder het uitlegt, snap ik het eindelijk ook zelf.

'Bloem is niet helemaal zoals andere kinderen,' zegt ze. 'Ze is het mooiste meisje dat ik ken. Maar soms moeilijk te begrijpen. Ze doet vaak dingen die we niet verwachten.'

Bloem slikt het laatste restje snoep door. Ze kijkt me recht aan. 'Weet je nog dat we tweeling waren?'

Haar moeder schudt naar haar van nee. 'Bloem, lieverd, vertel Ros maar wat je hebt gezien.'

'Kan ik niet. Ik wil niet meer huilen.'

'Zal ik je helpen? Dan vertel ik het en zeg jij wanneer ik het niet helemaal goed heb.'

Bloem steekt een duim in de lucht.

'Ros,' zegt haar moeder tegen mij. 'Bloem heeft vanmorgen staan kijken toen jij wegging.'

'Door het gat in de schutting,' zegt Bloem.

'Ja, door het gat. Met je verrekijker. En toen heb je gezien hoe de mama van Ros een hele tijd schreeuwde naar haar papa. En hij zei niets terug. Uiteindelijk raapte zij een fles van de grond om hem te slaan.'

De moeder van Bloem stopt.

Ik denk aan pa in zijn stoel en aan ma die gek van hem werd omdat hij niks terugzei.

'Ze sloeg op zijn hoofd,' zegt Bloem plotseling. 'Maar toen viel ze.'

Bloem staart vreemd voor zich uit. 'Het was precies zoals laatst. Ze zwaaide zo hard met haar armen dat ze omviel. Páts! Op de grónd!'

Die laatste woorden roept ze heel hard.

Ik ril.

Dan zegt Bloem: 'Ze lag zo raar.'

'En ze bleef daar maar liggen,' vult Bloems moeder aan.

Ze streelt nog steeds traag over de blonde haren en wiegt Bloem op haar schoot. 'En daarom heb je de poortdeur en daarna de keukendeur opengemaakt en ben je gaan kijken.'

'Ja.'

Jill en Fairouz wisselen een verraste blik en de moeder van Bloem glimlacht ongemakkelijk naar ons.

Bloem was in ons huis! schiet het door me heen. Terwijl ma daar op de grond lag en pa doodziek in zijn stoel zat!

'Ik zei al dat mijn kleine meid steeds dingen doet die wij niet verwachten. Ook dingen die wij eng vinden. Het spijt me, Ros. We willen je geen pijn doen. We zijn hier omdat je vast wilt weten wat er is gebeurd.'

Ze fluistert in het oor van haar dochter: 'Vertel eens wat de mama van Ros tegen je zei.'

Onrustig schuifel ik met mijn voeten over de kale vloer.

Bloem kijkt me aan: 'Het spijt me.'

Jill doet een stap dichterbij. 'Wat spijt je?' vraagt ze.

Bloem schudt haar hoofd. 'Nee, dat zei de moeder van Ros. "Het spijt me." Maar ik snapte niet waarom.'

'Dus ma leefde nog?' vraag ik met ingehouden adem.

'Nog een beetje. Ze kon haar hoofd niet bewegen. Maar ze bewoog haar arm. Ik keek ernaar en zag dat ze iets uit haar broekzak haalde.'

Fairouz is achter Bloem en haar moeder gaan staan. 'Wat zei de moeder van Ros toen tegen je, Bloem?'

'"Geef dit aan Ros." Toen maakte ze haar hand open. En daarin lag dit.'

Bloem staat op van haar moeders schoot en loopt naar me toe.

Wat zou ma mij kunnen geven? Ma is heel onhandig met cadeautjes. Dat is helemaal niks voor haar.

Ik houd mijn hand op en daarin legt Bloem een zonnetje.

Ik kan het niet geloven. Het is Floriaans zonnetje van ijzerdraad!

Zonder dat ik het heb gemerkt heeft ma het uit mijn rugzak gepikt! Om het te verkopen zeker. Er is thuis dus echt geen plek meer veilig.

Wat een rotstreek!

O, wat haat ik haar. Haar en pa.

Meteen schrik ik van mezelf.

En dan lopen ineens alle gedachten door elkaar.

Opnieuw ruik ik de geur van verf en terpentijn. Jill is vlak achter me en legt haar hand op mijn schouder.

Bloems moeder staat op. 'Ik weet niet waarom dat zonnetje belangrijk was. Maar we wilden het natuurlijk wel naar jou toe brengen.'

'En toen?' vraag ik.

Ze schudt haar hoofd. 'Nadat je mama het zonnetje had gegeven, is ze volgens Bloem meteen gestorven.'

Ik voel nu niet alleen Jills hand, maar ook die van Fairouz op mijn schouder.

'Bloem wilde niet praten. Pas aan het eind van de middag begrepen we dat het met jouw ouders te maken had. Gelukkig heeft die psycholoog ons goed geholpen.'

'Nietes!' roept Bloem. 'Door hem moest ik de hele tijd huilen.'

Haar moeder pakt Bloems gezicht, drukt een kus op haar voorhoofd en fluistert iets wat ik niet versta.

Ik kijk naar het zonnetje en dan weer naar Bloem. 'Laat je me nu met rust?'

Bloem verschuilt zich achter haar moeder, die naar me knikt dat ze het belooft.

'Wij gaan nu maar. Dag, Ros.'

Ik aarzel, maar geef haar toch een hand.

Bloem is de kamer al uit.

Als ze weg zijn, moet ik weer ontzettend huilen. Samen met Jill. Niet meer alleen om Floriaan, maar ook om pa en ma. Omdat ik heel erg kwaad ben. Omdat ik er niets van snap. Omdat ik ze nooit meer zal zien en om nog zoveel meer.

Mijn tranen zijn nog lang niet op. Dat voel ik wel als Fairouz wegloopt om nieuwe zakdoekjes te halen.

47.

Het is al avond. De kale bomen van het park grijpen met hun takken naar de lucht. Alsof ze de halvemaan willen pakken die vlak boven hen hangt. Het is net zo'n maan als Floriaan voor me heeft gemaakt en die ik aan de Marokkaanse zwerver gaf.

Jill laat mijn hand niet meer los. En ze kijkt steeds opzij, alsof ze extra zeker wil weten dat ik naast haar loop.

Lopen is volgens Jill sneller dan als we met de bus gaan. En nu kunnen we onderweg tenminste praten. Maar praten doen we niet. Nog niet. Ik heb zoveel gepraat bij Fairouz dat ik nu liever even zwijg.

Voor Jill is dat oké.

Fijne Jill.

Ik knijp in haar hand en ze glimlacht naar me.

Plotseling tilt ze me op en knuffelt me, midden in het park.

Mijn benen bungelen omlaag als de benen van een grote pop. Snel klem ik mijn armen om haar hals.

Als ze merkt dat ik haar goed vasthoud, grijpt ze me onder mijn billen en danst een paar passen in het rond.

En dan zegt ze, fluisterend in mijn oor: 'Ik hoop dat je nu bij me mag wonen, Ros. Niet voor een week logeren, maar voor altijd.'

Mijn hoofd ligt op haar schouder en haar krullen strijken over mijn wang. Ik klem ook nog mijn benen om haar middel. Door haar jas heen voel ik haar warmte. Mijn lijf voelt niet meer als een slappe pop, het past precies om haar heen. Tot ze wankelt onder mijn gewicht en achterovervalt in het gras.

We lachen.

Het gras is nat, maar dat maakt ons niet uit.

We liggen naast elkaar en kijken naar de maan. Jill heeft mijn hand weer vast.

'Ros,' zegt ze en ze haalt diep adem.

Ik weet wat ze wil zeggen en ik neem het haar niet kwalijk. Ze is er nu. Dat is het belangrijkste. Zacht knijp ik in haar hand, zodat ze weet dat het goed is.

Jill voelt het denk ik niet en dus begint ze toch: 'Ik moet wel honderd sorry's zeggen. Voor alle keren dat je bij me kwam en ik er niet voor je was. Dat ik er met mijn neus bovenop zat en toch niet wilde zien wat er bij jullie thuis echt gebeurde. Dat je op school…'

Weer knijp ik, nu keihard. Dat voelt ze wel.

Ik schreeuw nog harder dan zij. Ik kan het niet meer inhouden. Mijn schouders schokken.

'O, sorry, Ros. Nou heb ik je weer aan het huilen gemaakt!'

Een tijdje laat ik mijn tranen komen.

Maar plotseling spring ik boven op haar en roep in haar oor: 'Hou op met die sorry's!'

Ik stomp in haar zij.

Ze stompt terug en we rollen vechtend door het gras.

Als we liggen uit te hijgen voel ik iets hards in mijn dij. Ik tast onder mijn broek en hap extra naar adem. Zonder het te zien weet ik al wat het is. Een kastanje!

Ik haal mijn gesloten hand onder me vandaan en open hem voor Jill. De kastanje glanst in het maanlicht. Hij is mooi. Als bruin goud in zilver licht.

Dan spring ik op.

We moeten naar Floriaan. Nu meteen! Ik wil hem zien. Ik kan echt niet langer wachten.

48.

Onderweg vraagt Jill wie Floriaan nou precies is. Maar hoe moet ik dat uitleggen?

Hij is mijn vriend, die mij precies begrijpt. Die weet wat ik mooi vind. Die blij is met de cadeautjes die ik voor hem heb verstopt. Die zich speciaal voor mij had geschoren en een net pak had geleend om me te helpen. Terwijl dat voor hem het allermoeilijkste is om te doen. Want Floriaan houdt er niet meer van om met mensen te praten. Net als ik. En speciaal voor mij wilde hij het weer proberen. Omdat het moest, vond hij.

En toch hebben we elkaar nog nooit ontmoet. Eerst durfden we allebei niet en daarna ging er steeds iets mis.

Zelfs nu ik hem met Jill ga opzoeken, ben ik bang dat hij er niet zal zijn. Alsof Floriaan alleen maar kan bestaan als we elkaar niet zien.

Jill zegt: 'Geloof me, Ros. Deze keer is hij er!' En ze knijpt me in mijn arm, als bij het spelletje om me te laten voelen dat ik echt wakker ben.

Maar juist wanneer mensen iets heel zeker weten, ga ik altijd nog meer twijfelen.

Als we door de draaideur van het ziekenhuis stappen, word ik een beetje gerustgesteld. Want op het moment dat wij naar binnen gaan, loopt Michiel aan de andere kant van de glazen deur naar buiten.

Hij ziet mij ook. Met een stralend gezicht vervolgt hij zijn rondje en komt terug in de hal van het ziekenhuis.

'Ros, wat fijn je hier te zien! En wat lief dat je de politie had gevraagd me te waarschuwen!'

Hij omhelst me stevig en geeft Jill een hand. 'Ik ben meteen gekomen. Maar Floriaan slaapt heel diep.'

'Dat is een goed teken, denk ik,' zegt Jill, die nooit zo handig is met gesprekjes.

'Ja, dat lijkt me ook. Ik heb hem dus nog niks kunnen vertellen, Ros. En jij ook niet, begreep ik van de politie. Ik heb een boek bij hem achtergelaten. Kun jij het hem allemaal uitleggen, als hij wakker wordt?'

Ik knik.

'Ach, wat ratel ik nou! Ik vergeet jou helemaal. Wat vind ik het erg voor je dat je erbij was toen ze Floriaan stonden te schoppen!'

Hij buigt zich naar me voorover. Onder zijn open jas springt een knoop van zijn vestje los. 'Dus extra flink van je dat je naar de politie bent gegaan. Ik weet hoe moeilijk je dat soort dingen vindt.'

Natuurlijk! Michiel denkt dat ik om Floriaan bij de politie was.

Hij weet nog niets van thuis.

Jill kijkt me aan om te zien of ik nog puf heb om Michiel te vertellen over pa en ma. Ik schud mijn hoofd.

Dan zegt ze tegen Michiel: 'Er is vandaag zoveel gebeurd. Zullen we binnenkort eens bij je op bezoek komen?'

Michiel pakt mijn hand en met zijn andere die van Jill. 'Dat lijkt me een fantastisch plan. Jullie zijn van harte uitgenodigd.'

Hij laat ons meteen weer los en geeft ons een duwtje. 'Maar nu mag ik jullie niet langer ophouden. Je wilde hem al zo lang ontmoeten, Ros. Dus ga nu maar snel bij hem kijken.'

49.

De tl-lampen schijnen overal fel. Op de gangen, in de lift en ook op de kamer van Floriaan. Hij ligt achter een gordijn. Ik ruik hem. Zijn geur van houtvuur overstijgt alle geuren van het ziekenhuis.

Ik voel mijn hart bonken.

Van de zuster mogen we eerst niet naar binnen. Maar na wat gefluister van Jill knikt ze ineens vriendelijk naar me. Dan trekt ze zacht het gordijn opzij.

Rossig-grijze haren liggen als een krans rond Floriaans hoofd op het kussen. Zijn ogen zijn dicht en hij is bleek. Gelukkig zie ik zijn borst onder het witte laken op en neer gaan. Hij slaapt.

Een tijdje staan we zo naar hem te kijken. We durven niet te praten, bang dat hij wakker wordt.

Dan zie ik dat iemand achter zijn bed al onze kastanjedieren heeft gezet.

Ik pak de bij uit mijn rugzak en zet die er voorzichtig naast. Net als de engel met de pet en de nieuwe kastanje uit het park.

Kennelijk heb ik toch een geluid gemaakt, want op dat moment slaat Floriaan zijn ogen op en kijkt me aan.

50.

Zes maanden later

Er wordt gebeld. Als ik de deur opendoe, staat Fairouz daar. Haar zwarte haar glinstert in het zonlicht en ze heeft een brede glimlach om haar mond.

'Het is al weer zo lang geleden en ik was in de buurt...'

Ik weet zeker dat mijn glimlach nog groter is dan die van haar.

Ze geeft me geen hand. In plaats daarvan gooit ze een zakje gombeertjes in de lucht dat ik vang.

We moeten allebei lachen.

Ik loop met Fairouz naar de serre. Jill is boodschappen doen, maar heeft thee voor me klaargezet.

Ik schenk twee kopjes in.

Fairouz knikt bewonderend naar me. Ze heeft weer die blik in haar ogen, alsof ze hartstikke trots op me is.

'Zou je het leuk vinden om mij een keer een rondleiding te geven langs je afvaltuintjes?'

'Dat gaat niet meer.'

Fairouz kijkt me niet-begrijpend aan.

'Ik heb ze allemaal opgeruimd.'

'Hoe moet dat dan met de mensen van de tv en de opa en oma?' zegt ze plagend.

'Die moeten nog maar even wachten.'

We drinken stil onze thee. Daarna vraagt ze: 'En? Hoe gaat het nu met jou? En met Jill? En met Floriaan?'

Ik blijf net iets te lang nadenken, zodat ze nog zegt: 'Moet ik een beginzin voor je bedenken?'

Ik schud glimlachend mijn hoofd.

51.

Het duurde even voordat alle papieren waren goedgekeurd en getekend. Maar vorige week was het dan zover. Ik woon nu officieel bij Jill. In haar grote huis.

Jill werkt inmiddels bij het museum. Iedere ochtend nadat ze mij naar school heeft gebracht, fietst ze erheen.

Daar zijn minstens drie rare dingen aan: 1. Ik ben bijna de enige van mijn klas die nog naar school wordt gebracht; 2. Daar mag ik niets van zeggen, want Jill speelt nu steeds de baas; 3. Jill fietst, voor het eerst.

Op haar werk draagt ze een witte jas en ze werkt met uv-lampen en zo. Ze baalt dat ze haar tuinbroek met bloemen niet meer aankan en nooit iets op de grond mag laten vallen. Wel is ze blij dat ze nu de echt bijzondere schilderijen kan restaureren.

's Middags als ik uit school kom is Jill alweer thuis. Dat heeft ze zo afgesproken met onze gezinswerker, Eva.

Twee keer per maand komt Eva met ons praten. Dan vraagt ze hoe het gaat en dan zeggen wij altijd 'Goed'.

Ik zeg dus ook goed, maar eigenlijk maken we best veel ruzie. Eva weet dat ook wel, alleen vindt ze het niet erg. Ze vindt juist dat we 'op de goede weg zijn'.

Zo zegt ze dat, echt waar.

En ze geeft ons ook iedere keer hetzelfde advies: 'Jill, van mij mag je gerust wat minder je best doen. Ik vind dat je fantastisch bezig bent. Zeker omdat een gezinssituatie voor jou ook helemaal nieuw is. Toch moet je oppassen dat je niet overdrijft.'

Jill knikt. Dan grijnst ze naar mij, want nu is het mijn beurt.

'En Ros,' zegt Eva. 'Jij mag Jill soms best een beetje helpen.

Je hebt het volste recht nu even helemaal kind te zijn...'

'... maar ik moet niet overdrijven,' vul ik aan.

'Precies!'

Ik vind het vooral grappig dat ze doet of we een gezin zijn. En dat ze niet doorheeft dat Jill en ik juist dol zijn op overdrijven.

Maar als Eva weg is, vind ik het vaak helemaal niet grappig meer. Dan ben ik soms zo boos op Jill. Bijvoorbeeld als ik allerlei stomme klusjes moet doen of als ze weer eens zegt dat ik geen vijf meer ben...

Ik ga nooit schreeuwen. En al helemaal niet slaan of schoppen. Dat heb ik jaren geleden al besloten. Maar dat betekent nog niet dat het geen oorlog is. Want dat is het wel.

Dus stop ik in al haar schoenen stukjes wc-papier, zodat ze te klein zijn als ze ze aandoet. Of ik spuit een tube tandpasta leeg op de spiegel, in de vorm van een gebroken hart. Of ik scan een foto van haar en print die twintig keer uit. Dan hang ik de foto overal op en teken er Barbiewimpers bij of dikke zoenlippen. Hoe tuttiger hoe beter.

Toch is het gek. Als Jill het dan ziet en me zo streng mogelijk aankijkt, zijn haar ogen al aan het grinniken. En dan wil ze zelf ook op de foto's tekenen of er gekke teksten bij schrijven. Voordat we het weten hebben we de slappe lach.

Als Jill me dan na een uur vraagt om alles ook weer zelf op te ruimen, of van mijn zakgeld nieuwe tandpasta te kopen, vind ik dat natuurlijk niet leuk. Maar ook wel weer logisch.

O ja, Eva vraagt ook altijd: 'Hoe gaat het nu met pa en ma?'

De eerste keer dat ze het vroeg snapte ik het niet. Pa en ma zijn dood. Al maanden.

'Ja, dat is wel zo,' zei Eva. 'Maar als je goed nadenkt, kun je dan raden waarom ik het vraag?'

Jill is altijd dol op raden. Zij vroeg dan ook meteen: 'Bedoel je dat we al twee keer naar het veldje zijn gegaan waar we hun as hebben uitgestrooid?'

Eva glimlachte en zei dat dit natuurlijk ook een heel goed antwoord was. Toen keek ze naar mij: 'En, Ros? Wat denk jij?'

Hier had ik helemaal geen zin in.

Maar Eva kan zo naar je kijken dat je vanzelf je best voor haar wilt doen. En ineens snapte ik het, hoewel het eigenlijk heel ingewikkeld is.

Toen pa en ma in het echt nog leefden, waren ze voor mij dood. Binnen in mij, bedoel ik. Ik wilde niet aan ze denken en probeerde ze niet te zien. Het liefst wilde ik dat ze niet bestonden.

Nu is het precies omgekeerd. Nu ze in het echt dood zijn, worden ze in mij steeds een beetje meer levend. En het liefst wil ik dat ze weer zouden bestaan.

Daarom denk ik vaak aan dingen van vroeger. Toen ze er nog wel waren.

Bijvoorbeeld die keer toen ik nog klein was en we met z'n drieën gingen varen op de plassen. Pa vertelde raadsels en ma had lekkere hapjes gemaakt. Toen pa een grote eend met een gekke kuif naast onze boot zag zwemmen, voerde hij hem korstjes brood. Ik wilde ook.

Ma was bang dat ik in het water zou vallen en hield me stevig vast. Haar armen sloten zo warm om mij heen dat ik wel uren zo half uit die boot had willen hangen.

Onze tocht op het water is als een filmpje dat ik afspeel als ik daar zin in heb. Een fijn filmpje van pa en ma en mij.

Zo zijn er heel veel filmpjes die ik ergens in mij heb bewaard en die ik één voor één weer terugvind. Iedere week komt er wel eentje bij. Eerst de mooie en later misschien zelfs ook de andere.

Dus Eva heeft gelijk. Het gaat goed met pa en ma. Steeds beter zelfs.

En Floriaan?

Over een uurtje ga ik naar hem toe. De regering heeft sorry gezegd. En een advocaat probeert nu te regelen dat ze ook geld aan hem betalen. Dat is geloof ik nog hartstikke moeilijk. Dat gedoe houdt dus echt nooit op!

In ieder geval was er al een soort feest. Ik was erbij. Samen met Jill en Michiel moest ik mijn best doen dat Floriaan niet halverwege zou weglopen.

We begrepen hem wel. Want ook wij waren liever ergens anders geweest.

Toch was het belangrijk dat hij van iedereen kon horen dat hij niet gek was. Dat hij al die jaren gelijk had gehad.

Nu woont Floriaan in een koetshuis naast de boerderij waar hij eerst in zijn auto sliep. De boer heeft het aan hem geleend met de afspraak dat Floriaan het opknapt. Hij mag er zo lang over doen als hij wil.

Gisteravond heeft Floriaan me gebeld. Hij is iets heel spannends van plan met zijn nieuwe huis. En ik mag hem daarbij helpen.

'Logisch,' zei hij. 'Wie anders? Aan jou heb ik dit nieuwe leven te danken!'

Natuurlijk ben ik reuze trots. Al heb ik liever niet dat hij dat soort dingen zegt en wil ik liever gewoon praten over dat idee met zijn huis.

We hebben trouwens een heleboel andere plannetjes, maar dat komt allemaal wel. Zelfs Jill weet er nog niets van. Die plannetjes zijn nu nog even helemaal het geheim van Floriaan en mij.